BY SCARDOGAN

(Stanley Clark Duncan Robertson)

ISBN 0-9545315-0-7

© Scardogan 2003

All Rights Reserved

Publish ... evenick)

d

X2 ROB
1596867

To Dad
Your memory lives on.

SCARDOGAN

(Stanley Clark Duncan Robertson 1911-1984)

Born as the twelfth child of fifteen to James and Lizzie Robertson, Stanley was born and brought up at Pitcaple. His father died when he was young and Stanley took on the role of looking after his mother and sister in their small croft. He commenced his working life at Kennethmont Railway and when the Second World War broke out, Stanley being involved in the railways was excused from active duty. He met his wife of 40 years, Ina Wyness and together they settled down at Kennethmont before moving to Chapel of Garioch. There they had three children, Stanley Kenneth, Norma Alexina and Edith June. It was thanks to the drive and determination of Ina that the family purchased a post office and shop at Banchory-Devenick in 1957, that would give them many years of happiness. Ina ran the shop and Stanley had moved to work at Inverurie Loco Works. Being a busy community the shop was hard work and they both spent many hours serving the local people and being more than just a service. Stanley was an active member in the local community and contributed to many social night outs as his prowess with the spoken word received recognition. He took an interest in the local kirk and served Banchory-Devenick well for many years.

When the Loco Works closed, Stanley became a traveller for "Gavin and Gill" a local farming supply company. This was not a job that suited his capabilities and he then went back to the railways with a position at Dyce Station. After a few years, he then moved to William Tawse Limited (now part of the Hall & Tawse group), and it was there that he spent his last few years of working life being the local handyman. As his family grew up, Stanley became a grandfather many times over. His love for his family and friends was always evident and he liked nothing better than being surrounded by his fowk.

He enjoyed the outdoor life and spent many an hour pottering about in his garden. He was a character, someone that the local people enjoyed having a news with and both young and old will fondly remember him as the "Shoppie Mannie".

Contents

Dear Ed

Ye've niver heard o' me
I'm jist a working cheil, ye see
At writin' poetry, I tak' turns
Mind you, I'm nae a Rabbie Burns

I ken yer paper's yarkit foo
Nae room tae advertise a coo
Bit foo I'd like - gin ye'd consent
Tae see a verse o' mine in print

I've written verses noo for 'eers
An fegs, they've brocht some lauchs an' tears
Bit gin ye think I'll niver mak' it
Jist throw this scribble in yer backet

Ma First Day at Squeel

Ma first day at squeel, I can min' on't richt weel
First ava it wis poorin' o' rain
As the watter rushed by I could hear masel cry
I wish I wis sweeled doon a drain

The idder bairns lookit me a' up an doon
An' fegs foo I felt it - bein an afa sma' loon
The quines they a tittered an' whispered tae ither
Ah foo I longed tae be hame wi' ma mither

We a steed in the play green I didna meeve far
I stuck tae ma brither like a steen sticks tae tar
An' fan the bell rang ma' hert nearly stoppit
An' oot o' ma heid ma een nearly poppit

The size o' the squeel - three great muckle rooms
I'd get tint - the thocht gaed ma belly great stoons
An' the seats, a' in raws like a park foo o' stooks
An' there on the table - a cairt load o' buicks

The Dominie cam' ben' a gurly like chiel
His fuskers wis reid, baith his een were as weel
He blinked thro' his glesses, gaed his mouser a dict
I could see that the mannie wintit athing jist richt

Fan denner time cam' the thocht crossed ma mind
Tae tak' tae ma heels an' leave 'athing behind
Sine a thocht on ma mither an' fut she wid dae
I kent fut it wis tae be laid ower her knee

So I swallowed ma' piece it wis syrup on bried
Sat doon in a neuk an' wished I wis deid
Noo a' efterneen I wis wintin tae greet
As I slid back an' fore on ma hard widden seat

I thocht that the day it wid never gang by
So I jist sat an' tholed it till 3.45,
The door it wis opened I could feel the fresh air
Wi' the lave o' the loons I wis aff like a hare
I niver eence stoppit, nor did I look roon
I wis oot o' the jile an' a free Little Loon.

Homesick

I've aften winnert foo I left
Ma cosy but an' ben
Tae seek ma fortune far afield
Across the stormy main

I've maybe gotten hoards o' gold
I've maybe gotten fame
I've maybe seen some wondrous sichts
Bit neen sae guid as hame

I miss the sicht o' Bennachie
Files blue wi' heathers' stain
I'd gladly han' ower a' ma' gowd
Tae see them a' again

The fowk I've kent for mony eers
Aye pictured in ma min'
Ma doon cast een rin foo o' tears
For the lass I left behind.

New Grandson

Ye're afa fine an comfy like
Lyin sleepin in yer cot
Jist mak the maist o't little man
For peace means sic a lot

Ye're wee blue eenies canna see
Tho' they be shinin bright
Ye're mouie makin sookin soons
For sap tae ful' ye're kite

It disna jist seem possible
That I wis eence like you
I'm aul an deen wi' wattery een
Ma legs inclined tae boo

Ye've come intill a gey coorse warld
Some day ye'll maybe see
Some wey - tae change tae better things
Fan ye're as aul as me.

Vynil

Ma wife she's got vynil
Laid doon in oor loo
It's a queer kine o' colour
Maistly yalla an' blue

An' while on the pot
I sit there an' stare
At a the queer mannies
I see on the flair

There's black leerin' witches
Wi' noses sae lang
An' a horrible beast
Wi' a great yalla fang

An' little aul mannies
Wi' humps on their backs
An' little black bairnies
Carryin' great muckle packs

There's dizens an' dizens
O' bare nakit quines
Surrounded by flooers
An' queer squiggly line

An Elephant tee
Complete wi' his trunk
An' ither strange beasties
Noo a defunct

I sit far ower lang
Fan I visit the loo
Bit there's aye a new picture
A dog or a coo

Sittin' wastin' ma time
I div feel ashamed
Bit the wife an her vinyl
They baith maun be blamed

So freens I beg you
Tae tak my advice
Vinyl is cheap,
An' most afa nice

Jist get a plain colour
Nae lines on't ava
Ye can sit on the Pottie
An' stare at the wa'

Dr. Horne's Retirement

The doctor's decided tae lay doon the reins
Nae mair will he cure a' wir aches an' wir pains
His leavin' mak's me feel rale sad an' forlorn
For there's nae mony doctors like oor Dr Horne

There's dizens o' youn eens in this hall the nicht
Hiv tae thank him for bringin' ye oot tae daylicht
Half the fowk in the district he's seen them a born
He wis aye kept sae busy wis oor Dr Horne

I min takin' nae weel in the deid o' the nicht
The wife an' masel got a terrible fricht
I wis sure I wid dee afore it wis morn
We were baith afa thankfu' tae see Dr Horne

Weel he sooned me an' lookit me a up an' doon
His fine liltin tongue seemed tae me like a tune
O' a saft soothin' win' in the midst o' a storm
The wife an' me baith thankit aul Dr Horne

Ye'll see I'm aye here - some decrepit maybe
An' there's hunners an' hunners o' ithers like me
Hid it nae been for him, awa' we'd hae worn
Aye there's lots o's were thankfu' for aul Dr Horne

I liked him best fan he'd time for a news
A great lad he wis for expressin' his views
We'd news aboot athing fae piz meal tae porn
He'd a great range o' subjects hid oor Dr Horne

Dr Durno's a fine chiel - I like him an' a
So weel nae be ill aff fan the aul eens awa
He looks hale an' herty mauna mourn
Will Durno bide here as langs Dr Horne

Noo fut will he dee since he's gaun tae retire
He's nae like a chiel that can sit at the fire
His wife wid get scunnered an' on him heap scorn
He's nae eese in the hoose is oor Dr Horne

Bein' heilan up north he's decided tae flit
An' at some quate burnie wi' rod he will sit
He cud tak' a bit craft rear calfies an' corn
He'd mak' a gran' fairmer wid oor Dr Horne

So here's tae ye baith an' farever ye dwell
May ye baith find contentment, keep happy an' well
Call in by an' see us - withoot intiment or pills
An we winna torment ye wi' neen o' wir ills

Excuse Me

It's queer foo a' body will find an excuse
Fan there's some nesty jobbie tae dee
There's this an there's that, an I dinna ken fat
An excuse is gey aften a lee

I aften feel vexed fan I think o masel
Foo I mak up excuses twad be easier tae tell
The God's honest truth, an forget a the lees
Say ye're nae gan tae dee't, tho it disna aye please

Fan the law catches up wi some ill deein cheil
The lawyer will prove that the felon's a feel
Ye can murder or rape or set fire tae a hoose
Ye'll get aff sure as daith for there's aye an excuse

It's the same wi the bairns, fan they're wintin tae play
Ye're ower busy - ower tired, wite till some idder day
They'll pester ye sair, nae peace in the hoose
Better play wi them noo, withoot an excuse

There's aye an excuse nae tae gang tae the kirk
Ye've lyin ower lang, or the car winna wirk
Fan ye meet the minister some day on the road
He'll accept yer excuse, Bit ye canna fool God.

The Weather

I min fan a loon gaun barfit tae sqeeel
Eence ma skin grew richt hard nae a thing did I feel
Stibble parks an roch steens I could rin thro them a'
Speil spoots an heich trees, nae bother ava

Fan caller days cam the tackety beets
Eence again pitten on, foo they fired a' ma queets
As I hirpled an hottert tae the place o' ma learnin
For fine days an bare feet ma young hert wis yearnin

Weel wir seasons hiv changed, It's dumfoonert us a'
In the winter we've sunshine, In summertime sna'
In the spring o' the eer we hae hard grippin frost
Gires tatties an seedies, a' nippit an lost

Is't robots or atoms fleein high up abeen
Is't Russians or Yanks, takin trips tae the moon
Fur ever's the cause o't, fa evers tae blame
God's Handy Work Natur', mere man canna tame

The Packman

The muckle van that scoors the lan'
Fair foo fae reef tae fleer
Wi' goods tae sell H.P.or cash
Chape dirt an' a' I'll sweir

Noo forty fifty eer ago
Fan I wis jist a loon
We lookit forrit ilka month
For the Packman tae come roon

D'ye ken I niver kent his name
Nor the place far he did dwell
An honest cheil that served us weel
Nae rubbish did he sell

He'd flannel linders, woollen drawers
Hard weerin workin breeks
Fancy bloomers for the quines
An' jerseys for the geets

He hid tablecloths an' fancy towels
Reid ribbons for lang hair
An humlie doddies, sox an' scarves
At auchteen pence a pair

He'd collars, dickies, fancy ties
He'd plaisters for sair taes
An' leather pints for workin beets
Been ribbit weemins stays

He hid approns, skirts an' overalls
For skinny wives or fat
An' cards o' preens wi sma black nobs
For haudin on a hat

He'd pirns o' threed an' hanks o' 'oo'
An' lastic for yer gertins
Been caims for scrapin' nits fae heids
Or pittin' in the pertinsThe Packman

He cairrit aye a mull o' snuff
Ae sniff o' yon wis fair enough
It niver seemed tae gar him sneeze
While we were a' near on wir knees

The bullets o' the first world war
Had left him caa'd for breath
For shrapnel fulled his lungs wi' lead
An' left him close tae death

Ma mither peyed for fut she'd bocht
The Packman got his tay
Us loons sat quate - close in aboot
Tae hear fut he'd tae say

The subjec' it wis aye the same
"Fan I wis in the war"
We'd heard his stories scores o' times
An' seen his war wound scar

Tae us he wis the greatest man
That ever fired a gun
Hid it nae been for oor Packman
The Germans wid hae won

We helpit him at last tae leave
His pack up on the table
Tae cairry it for miles an' miles
Guid kens foo he wis able

A cherry wave an aff he'd go
Bent wi' his heavy pack
'Twas something tae look forrit till
The Packman comin' back.

The Lord's Work

Weel Lord I've yokit tae the yard
An' a ma dellin's deen
As I turn ower I find it hard
Bit fegs, I'm still rale keen

I've in a drell o' Duke o' Yorks
A pun o' ingan setts
Some floo'ers an' things I hiv tae sort
Sine pent ma gairden gates

Its gran tae saw seeds in the grun
An' jist hope for the best
Wi' draps o' rain an' blinks o' sun
Tae you we leave the rest

Charlie McBain - The End of an Era

Charlies' gotten scunnert sortin cars baith new an aul
He's tired o' sittin on his doup in a garage fleer sae caul
He's growne weary o' the paper wark it's falderals an fuss
So he's gaun tae tak it easier noo jist hirin wi his bus

Noo Charlie wis the kine o' lad that didna boast or blaw
An dasht he'd teckle ony job aye beit big or sma
He didna care fu rich ye were nor yet gin e' were peer
An aften at some nesty job I hiv heard Charlie sweir

I hid a backet o' a car twas onything bit soun
I took it tae a mannie wi a garage in the toon
He glowered at me syne at the car an gaed the reef a chap
An said it's nae worth sortin man - "The bloody things jist scrap"

So I cam hame doon in the moo an winnert fut I'd dee
I phoned McBains - "Aye fesh er ower" wis fut he said tae me
I took er ower tae Charlie an he looked er up an doon
An wi yon twinkle in his ee says I think she'll sort ma loon

Weel I cam hame upon the bus an wyted twa three days
The phone it rings - twas Charlie - "she's ready noo" he says
Fan I gaed ower ma backet wis sittin at the door
I tried er ben the road masel - an let er oot ful bore

Oh fut a transformation - she wis jist as guid as new
The story that I'm tellin ye is absolutely true
An fower poun ten wis a he charged, I peyed withoot a frown
The day ye widna get it deen, for less than fifty poun'

Aye Charlie wisna ill tae pey gin he thocht ye were peer
An the things he sortit min ye widna rin the day I fear
An fan ye cam tae pass the test I've seen him shut an ee'
Maybe nae tae a'body bit I've seen him deeit tae me

Nae doot he wid hae been ill aff gint wisna for his wife
Wi petrol pumps an daeinin beuks she led a busy life
By jabbers she got throwe the wark an tho she be bit sma
Wi sellin fags an ale an crisps she made a bob or twa

An noo they're roupin athing oot - the garage sittin teem
So Dorothy an Charlie they'll jist wirk awa their leen
The wark it winna be sae sair they baith deserve a rist
Bit there michtna be sae mony pouns tae pack intae the kist

I ken nae far the fowk will gang tae get a car repair
Gin ye gang tae the toon ye'll hae tae wyte sax weeks or mair
An' ye'll near drap doon unconscious fan ye gang tae pey the bill
Aye freens it's then ye'll wish McBain wis goin at it still

We wish them baith the best o' luck an' health fan they retire
On splytrie days the twa o' them can sit doon at the fire
So gin yer gless be teem ma friens jist ful'er up again
An' drink a toast tae Dorothy an Charlie McBain

The Meldrum Booler

Auld Meldrum's produced a lot o' great men
Fa hiv biggit Cathedrals an' Schools
Bit the best o' them a' is an umman sae braw
Who can lick a' the men at the Bools

Twa'd be easy for Doug tae learn ye his trade
For faith he's rale handy wi' tools
Bit he's niver seen - fan he's doon on the green
For his wife can fair beat him at the Bools

She has won competitions an' trophies galore
Fan she rows - It's aye close tae the Jack
Bit fan peer Dougie bowls ye can hear a' the howls
So he screws his face richt roon his back

Ae nicht on the green it wis plain tae be seen
Oor Doug wis determined tae win
An' for eence in his life he beat his auld wife
'Cos the cheil he wis playin' wis blin'

I ken for a fac' he's often been back
An' playin the game o' his life
Bit try as he may - he niver will play
Like his sweetie - aye Margaret, his WIFE

The Best an' Greatest Coo

Ma fadder bocht 'er fan a calf
She jist wis twa days aul
An brocht her hame inside a bag
Ae March day - weet an' caul

Ye couldna ca' her bonny
Kine o' fyachie - yalla - reid
Sma' beened an' silky skinned she wis
A nesty blockie heid

Weel Weel the calfie fairly grew
A healthy cratur tae
The makin's o' a coo he thocht
So a milk coo she wid be

Her first calf wis a great event
A nesty calvin' tae
I min us loons a' ruggin'
Wir breeks weet wi' sharn bree

Noo my aul man wis a master
At calvin' an' sic like
He's sleeves rowed up tae shouder heids
His heid a' dreeps wi' swyte

Ma mither ran for watter
An' a cake o' yalla soap
Ma fadder got the feeties oot
An minkit on the rope

Nae ruggin' till I tell ye
An' stop fan I say" woah"
We did as we were bidden
He wis - patient - gentle - slow

Efter chauvin' for gey near an 'oor
The calf wis on the greep
We rubbit it wi' wisps o' strae
An dried the warslin' breet

It wisna muckle o' a calf
A bittie shargered kine
Bit ach it wis her first een
An' the coo hersel wis fine

That coo gaed birth tae saxteen calves
I min aboot her weel
An' fut a milker tae she wis
An' wis hardly ever eil

Weel Weel peer beast she's deid an' gone
Bit thinkin on 'er noo
I'm prood tae think, I kent 'er
The Best an' Greatest Coo.

Banchory-Devenick

Banchory Devenicks just a plaicie
Nestlin' near the River Dee
Wi' a twa three hunner happy fowk
A' they wint is latten be

This fite paper o' the Goverment
Showin' were lives on a map
For upheaven quate contra fowk
It disna care a rap

They say were pairt o' Aberdeen
I've never heard sic rot
The plans were made its easy seen
By some billie - nae a Scot

Lat us be as we are noo
We wint wir sheep, wir parks, wir coo
Wir scenery sir will not be spiled
We'el fecht for't - even tho' we're jiled

Gin Aberdeen wints tae expand
Haud north up there, there's plenty lan'
Peer grun, its peat or clay
Big hooses up Tyrebagger brae

Noo bein' a country cheel yersel
In toon's I'll sweir ye winna dwell
So sir - tell ye poo'ers abeen
We winna jine wi' Aberdeen.

The Loco Works

I some doot that the Loco Works
Will shortly be closed doon
An' fegs twad be disastrous
For the district and the toon

There's lads fae Huntly, Insch and Oyne
Pitcaple, Wartle, Rayne
They even hiv tae bike or bus
Since B.R. stopped their train

There's lots o' men fae Aberdeen
Fae Kemay, Dyce, Kintore
An' dizens bike up tae the Port
As their faithers did afore

There's lots o' men fae Rurie Toon
Depend upon the Works
Twad fairly be a place o' gloom
Fan unemployment lurks

The wives am sure are feelin' sad
Unhappy an forlorn
Nae mair they'd get their bairns tae school
Fan eence they'd heard the Horn

The workin' lads withoot a job
Wad miss the plaicie sair
Bit harder hit am sure wad be
The billies up the stair

Maist o' the lads doon on the fleer
Are nae neen feart at wark
Afew o' they fite collared lads
Maun don the workin' sark

The heid boys they're a Englishmen
Excep' for twa or three
Fat wey they cam sae far fae hame
It fairly puzzles me

It's nae that they hiv got mair brains
Nor that they're fond o' wark
The English Billies much prefer
To wear a Sunday sark

However gin the place be closed
To some there'll be a snag
It widna dae tae lift the dole
Wi' a fine big gleamin' Jag

There are some here that hae side lines
Like a shoppie or a craft
So maybe them we'll hae tae jine
In case we get ower saft

To Aul Cameron on his 82nd Birthday

Weel Cameron - Na I'll ca' ye Jim
Ye're eighty two the day
Ye're weel an swack tho' unco thin
Aye fit for wark or play

Ye herdit sheep for sixyt eer
Thro' tempest - frost an snaw
The times were hard the wages peer
Bit aye ye chauved awa

And in the 1914-18 war
In France ye did yer bit
Cam thro' it a' withoot a scar
Ye werna guid tae hit

Yer war mates - a' near deid an gone
Nae near sae teuch as you
Few hiv sic marra in their bone
Ye're lucky, aye thats true

I've heard ye say that idle fowk
Are jist a perfect scunner
Yer gairden ye'll be fit tae howk
Fan eence ye reach a hunner

So Cameron jist aye knipe awa
Rale slow - an' dinna hurry
The pipe reek ower yer shooder blaw
Relax - an' dinna worry.

The Posties Strike

For din an strife an fechtin
We've niver seen the like
The thing that hurt us maist ava
Wis the recent Postie's strike

Heid offices were a closed doon
The staff a snug in bed
Except a few high salaried chiels
Wha sat aboot an read

Sub offices were never closed
Peer sowels they chauved like "hell"
Tae pey oot pensions tae the aul
Far iver they did dwell

Ma wife she is sub-postmistress
In a little but an ben
So fan her siller it gaed deen
Her man she hid tae send

Noo he's turnin aul an dottled kine
Needs a' his time his name tae sign
Bit wi instructions far tae go
Aff he set tae the heid P O

The place a most infernal size
It gard the aul man rub his eyes
As up an doon the stairs he ran
Lookin' for the cashier man

Noo twenty minits hid elapsed
The peer aul sowel hid near collapsed
The cashier chiel he stops at five
He hid tae find him - deid or alive

His instructions he read ower again
Turn richt, turn left, sine fair on ben
A sortin office there ye'll see
Cross richt ower it an there - maybe,

Ye'll find a door - turn ower the page
The cashier he's inside a cage
The aul man gettin braver noo
Wis sure he'd landed in the zoo

Bit at the door a face appeared
"Are ye cashier?" the aul man spierd
"Aye fairly that, bit fa are ye"
The cashier says we twinklin ee

"Ma wifes got a post office
An her siller his gaen deen
So I've been sent tae get the cash
Is that a richt ma frien?"

The cashier wis a freenly cheil
The aul man tired, sat on a steel
Sine efter signin on a ticket
The chiel he opened up the wicket

He telt him foo tae reach the street
So aff he went wi het sair feet
Tae try an reach the clean fresh air
He tackled eence again the stair

This time he wis a lucky man
A lad wis scutterin wi a van
He opened up a great wide door
Wi joy the aul boy gaed a roar

Weel half a dizen tlmes an mair
He made that journey up the stair
An every journey he got lost
Oh hurry Posties tae yer post

Doon The Pit

Jist spare a thocht some chilly nicht
As roon the fire ye sit
The flickerin' flames sae reid an' bricht
Black darkness doon the pit

This week like coal - has been, sae black
Seven wives are left their 'leens
Seven men peer sowels they'll ne'er come back
Tae hame an' lovin weans

So Lord tae folks bereft o' men
Help them the pain tae thole
An' to each miner - lat them ken
You're wi' them - doon the hole

Edith's 21st

Weel Edith June yer twenty one
I min fan ye were born
I've seen a bigger kittlin
Ye looked peer and sae forlorn

Am' sure yer mither niver thocht
Ye'd ever grow ava
We niver thocht ye wid survive
Ye were sae afa sma

Bit losh be here ye fairly threeve
An seen gaed tae the squeel
An apairt fae coughs an sneezes
Ye've aye kept afa weel

Am nae richt sure jist fa yer like
Ye're neither fat nor thin
There's ae thing that I'm certain o'
Ye traivell like Aul Jim

I winner gin ye'll get a man
Or bide like fut ye are
An rake a' roon the country
Fan ye get a motor car

I've nae doot that ye'll please yersel
That's something ye've aye deen
An gin ye'll ever mairry
That remains aye tae be seen

Ye hinna got yer mithers looks
An naething cud be sadder
We think that ye've been plaqut
Wi a nose jist like yer fadder

A min fan jist a little quine
About the size o' Lucy
Foo ye newsed in English tae yersel
Fan playin in the hoosie

An noo yer doon in London
Herin English ilka day
I think yer speakin broader Scotch
Than the day ye went away

Ye'll be scunnert o' ma blethering
So freens ye'r glesses raise
An gey a toast tae Edith
Hae a lot o happy days.

Mrs Smart's Retiral

For forty eer aul Mrs Smart has cleaned wir village squeel
At five o clock she made a start, she's been a hardy cheil
Bit fadder time has taen her tee, that comes tae een an' a'
She's nae sae fit she eased tae be, noo inclined tae pech an' blaw

I've often seen her on her byke, in rain an' win an' sna
Fan 'twis oor coorse she hid tae hike, she thocht nithin o't ava
A thoosan' Banchory Devenick bairns am sure wid a' say thanks
For Mrs Smarts fine roarin' fire aye keepit warm their shanks

Far are they a' the quines an' loons she's seen gaun thro' the squeel
Some hinna gotten very far, an' ithers they've dean weel
An' some peer loons in foreign toons lie hine awa fae hame
Some nae lang left this verra squeel, the war their lives did claim

Noo she's decided tae retire ease her aul beens aside the fire
Tho' seventy five she's nae near deen, bar crockey jints she's aye richt keen
At Hogmany I've seen her jiggin' loupin' near tae touch the riggin'
An' roon the fleer she'll gaily skip - the aul vratch fair enjoys a nip

She's been her leen for money eers, she's hid her share o' joy an' tears
She's often been rale short o' cash, bit fegs she didna moan or fash
She's travelled near ower a' the earth, nae eese tae Mither Smart jist Perth
She likes tae roam an' see the sichts, complete w' fancy hat an' tichts

I ken nae far she's gaun the eer, bit she'll set aff I hiv nae fear
Lat Mrs Smart in ower a bus, she'll sit ten oors - an' mak nae fuss
She's lucky hain Jim at hame, I'm sorry tae, he his nae dame
So Jimmy laddie dinna dither, a wife micht turn oot waur nor mither
I'm sure she's fairly earned her rist, so noo she'll open up her kist
Its stappit wi' love story books, they've kept her younger than she looks

I mine ae afa morn o' sna, even Jimmy couldna get awa
Bit Mither she set aff at five, an' tae the school she did arrive
Weel weel the roads were yarkit foo, we're hinmost aye tae get the ploo
An' Charlie Gillan turned fair beat nae fit tae face the win' an' sleet

If coorse I couldna get awa, wir roadie oot fair foo o' sna
So Jimmy he cam roon tae me, an spired - gin's Mither I did see
Doon tae the squeel ma wife phoned, an' ower the line Mrs Thomson groaned
For she hid jist new gotten up, an' hidna hid her mornin' cup

Weel she pits on her dressin' goon an' tae the school she seen ran doon
Bit back she cam - nae Mrs Smart, I saw the wife clasp at her hert
Pit on yer bonnet Stanley loon, yer coat an a', an step richt doon
That sna, aul Mrs Smart cud smore , bit first I'd try her ain back door

An' here's the aul vratch nae neen waur, says she I'm lucky its nae far
Wi' that she clappit on a seat, cryin michty me - ma drawers are weet
That story noo ma freens is true, it wid hae beaten me or you
So Mrs Smart guid luck an health, that's better far, than lots o' wealth

The New Coloured Telly

There's twa craiturs I ken, I'll nae mention their name
Craigton Road is the name, o' their street
Since the mannie retired, his wife's aye desired
That their life should be happy an' sweet

They swappit the Escort, a Cortina they bocht
Second han' - nae fegs ye - brand new
Noo they scoor roon the country wi' niver a thocht
For I tell ye their troubles are few

They shortly got scunnert, o' black an' fite telly
We canna be beaten, by aul Auntie Nelly
So oot tae the backet went the aul black an' fite
A coloured een cam on the Setterday nite

They sit an' they glower, every oor o' the day
Nae a stroke at the golf will the mannie noo play
An' the wife nae a scone nor a bannock she'll bake
Jist oot tae the bakers an' buy a bit cake

Bonny picturs an' scenes the man eesed tae pint
Noo the knack an' the notion the peer sowel his tint
An' the wife she made knick knacks, an' pants tae hersel
Noo she buys every stitch, an grudges't like hell

There's neen o' this true, it could happen mind you
Bit this couple, there's neen o' them silly
Bit maybe their hobbies hiv teen a back seat
Since they got a fine New Coloured Telly

Smoking

There are millions get up ilka day wi' a hoast
A' they tak tae their breakfast a half slice o' toast
They're een an their noses a rinny an sair
Cos' each day o' their lives they smoke twenty or mair

Nae doot smokin claims victims baith young eens an aul
They're cremated, embalmed or in graves lyin caul
So Lord sen' doon something tae kill baccy seed
Gin ye'd wintit's tae smoke - we'd hid lums on wir heid.

Northsound Prize

The ither week the wife an me
We got a big surprise
A lass fae Northsound phoned tae say
That the wife won a prize

She'd been listenin tae Jim Rosie
Fut a cheil he is tae news
An she got a the answers richt
Efter he'd gaen the clues

So tae the Beach Ballroom wi set oot
An fegs the show wis gran
Geo Duffus an' aul Andy Stewart
Wi music dance an sang

We got wir denner an a dram
Wi Mrs Ross an Sandra Rennie
An it pleased a grippy aul cheil like me
Cos it didna cost a penny

So aye tune in tae Northsound
They're news aye up tae date
They bring pleasure tae a lot o' fowk
So carry on - ye're Great

Tins o' Mince & Rice

There's tins o' mince an tins o' rice
Fite fish in bags - biled in a trice
An chappit tatties, piz an neeps
An a it needs is jist a heat

Noo hame made broth is oot o' date
Soup, tatties, met the self same fate
Nae porrich, skirly, piz meal broze
A lost for fut? Guid only knows

It's maybe easier openin' tins
Nae scutter noo wi' beens an skins
An' ony cheil cud be a cook
There's nae need for a cookery book

Weel Weel its progress - maybe so
I'm sad tae see the aul wey go
Tin openers freens - are nae for me
Wi milk an breid - I'll lat them be.

The Feet Washin'

This story that I tell is true
The eer wis nineteen twenty two
An' I wis jist a baillie loon
Nae lang fee'd hame tae Mrs Broon

The story starts wi' Wullie Glashan
The nicht o' Bella Broon's feet washin'
Clortit wi' bursen ile an bleck
It wis a nicht I'll nae forget.

Mrs Broon her man hid de'it
Eers and eers afore I fee't.
She jist hid Bella, peer Mrs Broon
Aye wished her bairn hid been a loon.

Noo Bella wis infernal grim,
Twa hairy pleuks upon her chin,
Pirn tae'd, an afa glyed as weel,
She wid hae fleggit ony cheil.

The billie she wis gaun tae wed
A fite faced cheil, his name wis Ned
I think he ca'd a baker' van
He hid a double tucky han'

In aboot cam' scores o' cheils
Glashan lined them up in dreels
An' like some sodjer on parade
Plans o' attack were swiftly made.

Weel I wis pitten tae the hoose
I canna mine on fut excuse,
Bit a' I saw wis Bella there,
Washin' her lang black straggly hair

The hunt wis on noo - far wis Ned?
"Wee'l try the cornyard" - Glashan said.
We scoored an' glowered roon ilka ruck.
Bit dash't, we fair were oot o' luck.

It wis a bonny meenlicht nicht,
We maun hae looked a fearsome sicht
Ae cheil climmed up a soo o' strae,
An' slipped doon an' broke his tae

We tried the stable - byre an' barn
Jock Tosh gaed up till's knees in sharn.
The pigs hoose, hen hoose, the aul coal shed,
Bit not ae sign wis there o' Ned

On the midden dyke we a' sat doon
Silent - ae listenin for ony soon
Fan the orraman a cheil cad Rattray,
Says' "Lads, we hinna tried the watterie".

Some leuch - bit nae wir leader Glashan,
Throwe the dubs he seen wis splashin'
He quickly reached the W.C.
His roch black han's he rubbed wi' glee

"I hear him pechin' boys" he cried,
Come on oot Ned ma loon yer spied.
So tae save them caa'in doon the sheddie,
Fite faced an' caul appeared peer Neddie.

We a' made for the kitchie noo,
Catched Bella as up the stairs she flew
The washin' tub fulled tae the brim
The twa o' them were dumpit in

The aul wife jined the gay melee,
Her skirt rowed up abeen the knee
Her face a clortit black wi' bleck,
An' some eens sark tied roon her neck

Weel abody hid tint some claes
Black ile wis squelchin' throwe ma taes
The washin' tub gaed heilster gowdey,
Aye fegs, 'twas turnin' unco rowdy.

Glashin wis helpin' Mrs Broon
Tae get intae her barkit goon
Fan some lad wi' a weet caff sheet,
Nippit the twa o' them aff their feet.

Noo they'd gotten the twa o' them doon
The caff sheet wippit roon an roon,
Jist like twa mummies in a shrine
Yarkit the gither wi' binder twine.

The kitchie fleer wis like the sea,
Wi' greasy ile an orra bree
They quately lay wi' nae commotion
Like shipwrecks floatin' in the ocean.

Some chiels remarks I winna print
Roch maybe - they were niver meant.
Jist country banter - that wis a',
We lowsed the tows, fae aff the twa.

We yokit tae the reddin' up,
Sat doon an' hid a guid strong cup.
Wi' scones an' bannocks, breed an' cheese,
Sine stories true - bit maistly lees.

A pig o' fuskey fae the press,
An ilka body got a gless.
Guid wishes syne tae Bella an' Ned
We a' got roadit for the bed

Excep' aul Glashan - bade ahin
She poored anither gless tae him
An' said "Wisn't yon most afa fine
Bein' grippit ticht wi' binder twine"

Weel, Weel, I neena tell ye mair
Instead o' een - there wis twa pair
Got mairrit - thanks tae the feet washin'
An' fa's boss noo - Aye, Wullie Glashan.

Connie

O Connie, Connie, what a pity
Ye're gaun tae leave the Granite City
We're gaun tae miss ye're pleasant smile
We'll nae forget ye for a while

Tho' Scotch wirds often troubled you
Ye niver "lost the heid"
Tho' fan it cam tae "Fochabers"
I've seen ye're face rale reid

There's one thing that I'm certain o'
An' I'm sure we a' agree
Ye are the finest Hello Girl,
In a' the countrie

We maybe could hae kept ye
If yer man ye'd often seen
Bit noo ye'll see him every day
Aye, ye're lucky Mr Green

So Cheerio, ma bonny lass
Tae help ye whiles the time tae pass
Jist stop, sit doon a meenit, pause
An' mind aboot yer days wi' Tawse.

Craigingles Quarry

Tae get till Craigingles quarry
Wid tak quarter o' an oor
Bit tae Doddie Gordon an his mate
It proved a lang lang tour

Noo Doddie he kens ilka road
Fae Fyvie tae Aboyne
Bit thò' they scoored for twenty mile
O' a quarry - nae a sign

They landed at Clark's Garage
An got directions there
So aff they set most afa pleased
That they'd tae raik nae mair

Bit roon an roon the twistit road
The aul van Geo did yark
An far div ye think they landit
Aye back wi Wullie Clark

The same directions eence again
By God this wis hard wark
So roon an roon the ruggit rocks
An back tae Wullie Clark

The billies at the garage
Could not believe there een
They thocht they were the biggest gowks
That they hid ever seen

Aff on the trail eence mair they set
Dod Gordon lookin grim
The billie that wis wi him speired
Fut parish are we in

They thocht they'd try anither route
Ben the een rig o' a park
Bit hid tae turn the aul van roon
An back again tae Clark

Clark's boys were flabbergastit
Dod Gordon's face wis reed
They thocht they were twa prisoners
Escaped fae Peterhead

This time the boys drew oot a map
Say Geo we winna tooter
I widna like the fowk tae ken
I got lost in Maryculter

Queens Road Shoppie

On Queens Road there's a shop, far daily I stop
For ma rowies, ma paper an' breid
It's nae supermarket, thank goodness for that
For yon places gae me a crackin' sair heid

Noo the shoppie is run by a man an his wife
They're a weel matched pair, ye widna ken wha's boss
They're baith fine cut oot for that kin' o' life
I've ne'er ever seen the place in a soss

They've nae fancy prices, nae gimmicks ava
Nae great muckle posters, yer custom tae draw
Fan ye step inside there's nae pressure tae buy
Ye get first class attention, tho' ye jist buy a pie

Gin I were tae flit fae that pairt o' the toon
I'd nae tak a basket an' haik roon an' roon
Fine Fare wid gang broke for a' that I'd heed
For I'll gang tae Queens Road for rowies, paper an' breid

I'm Feart Tae Look Forrit

I'm feart tae look forrit tae the next twenty eer
I'll be luckier nor some cos I winna be here
Bit the ootlook looks fearsome, gey near oot o' han'
Machines an' computers, will tak' ower fae man

Fut wey can we stop it, I wish I kent foo
For there'll nae be a jobbie, for me an' for you
It will maybe be fine, for a mannie wi' brains
Bit fut o' the peer cheil, that can only howk drains?

There's nae hope for him in the new modern wey
The hooses they'll big, winna need drains forby
The baillies, the horseman, the shepherd, the vet
The posties - ministers, they'll a' get the seck

Ach they'll hardly be schools, for they'll hardly be bairns
Jist a fyowe o' the best, aye, they'll use a' their sperms
Tae mak us a race o' the highest digree
Is this rubbish? Well, well - Jist you wait an' see.

To The Family

I've an afa desire tae reach for ma' pen
An jot doon a few lines 'bout a faimly I ken
They bide in a village nae far fae the toon
The fadder, the midder, twa quines and a loon

There's the youngest een first, her names Edith June
She's a grand eer for music, she can fair play a tune
Wi her rockin an rolling she's driving me silly
She's aye cried on, fan onythings wrang wi the telly

There's Norma a big quine fine plump an fat
Wi her pinted heeled sheen she knocks holes in the mat
She works wi a chemist sellin pooder an peels
An she's clicket a lad that cas' coal tae the squeels

Then there's Ken, better kent tae a' as the loon
He's aff tae mak's fortune in big London toon
I'm sure he'll dae well, for he's nae feart at wark
He wis happiest aye wi' an auld torn sark

A weel bigit wifie the mither God bless her
The bairns, an her auld man an a' they wid miss her
She's bonny an slim wi her hair files jet black
The grey eens she dyes wi stuff fae a pack

Be her hair reid or black she's the best een by far
An' the bonniest tae come fae Braemar
O' there Mither the bairns, an' the auld man are prood
Wi a mudder like that, the bairns maun be good

The auld man peer sowel, bowdie leggit and bent
A big crookit snoot, wattery een, an' a squint
He's thin and he's gabbit, tho' nae an 'ill chiel
Fat wey she mairrit him, weel it jist baiks the diel

The writer o' this, noo fa' could it be
He maun be a frien as far's I can see
There's few fouk that ken a faimly so weel
Weel I am that crabbit, auld bow Leggit Cheil.

The Firm o' Willie Tawse

Hiv ye time tae hear ma story
Hold on a meenit - pause
An' I'll tell ye o' a thing or twa
Aboot the firm cad Willie Tawse

I ken nae fan they startit
Bit the foonder's heid is cauld
An' for eers an eers they've yarkit on
At jobs baith big an' small

I've nae doot that the foonder Tawse
Hid brains as weel as brawn
An' vrocht for days without a pause
Aye up at crack o' dawn

The first Tawse hid nae clerkess
An' am sure he hid nae car
He'd nocht bit picks an shovels
An' a shalt for traivlin' far

I'v coorse there wis nae lorries
A' the holes tae howk by han'
They hidna ever rubber beets
In dubbie holes tae stan'

Their office - gin they hid een
Wis a sheddie on the site
They hid tae stop fan dark cam' doon
They'd nae electric light

A leekie lantern flickerin'
As the boss he studied plans
Nae winner that his een were sair
An' maybe blisters on his han's

The firm grew bigger eer by eer
An' seen becam a po'er
The navvies they got up their pey
Tae tenpence in the oor

They got twa three traction engines
An a muckle Foden truck
The horse an' cairts seen disappeared
-Tawse hid a bit o luck

He seen got bigger contracts
Hine awa' fae Aiberdeen
Up North he biggit roads an brigs
To this day they can be seen

The firm it grew as time gaed by
They'd jobs in Wales an' jobs in Skye
They didna care foo far they went
As lang's it peyed, they were content

The boss noo fit tae buy a car
Aul' Melvin drove him near an' far
O' jobs they couldna get enough
Some jobs were smooth an' ithers rough

Weel weel, I'm sure he'd get a shock
Gin he lookt up an' saw the stock
O' lorries, dumpers, cranes an' gear
- He'd dicht his brow an' disappear

An' gin he saw the office noo
Wi' name plates on each door
An mini-skirtit deemies too
He'd haud his heid an' stare

I'm nae jealous o' the heid eens
They've got brains an' I hae neen
Are they happier drivin' muckle cars
Nor the chiel that keeps them clean?

Knockie's Shalt

Fan I wis a loon motor cars they were few
Fermers hurled in their gigs afa jolly
Aul Knockie hid een, the best o' them a'
An' a high steppin' shaltie ca'd Polly

An' mony a day comin' hame fae the squeel
Us loons wid try for a hurl
Bit a switch roon the lugs, wi' aul Knockies wheep
Made's lat go wi' a howl an' a skirl

Ae Sunday foreneen fae the Kirk comin' hame
Aul Polly she snapper't an' fell
She got on till her feet tho' most afa lame
Knockie turned tae his wife an' said, "Bell";

Wir shalties' fair deen that's the last o' the gig
For a car the siller we'll raise
Aul Polly retired till a fine sheltered park
An' finally deid o' auld age.

Annie

Annie Smith she wisna bonny
Tho' I widna ca' her grim
She'd a big roon reid roch brosy face
A deep dimple on her chin

She wis jist a humble kitchie deem
An pleased her maister gran
Fan she got throwe wi inside wark
She helpit on the lan

Noo Annie hidna mony faults
Weel neen that I cud name
Quines company she couldna thole
Bit Lord she liket men

In her roomie aff the kitchie
She wid lie at nicht awake
Her windas niver snibbit
Nor on her door a sneck

An sure enough as time gaed by
Some lover wid appear
Tip toe in tae see his Annie
Fut happened? - need ye speir?

Weel there wisna contraception
An of coorse there wis nae peel
Tae Annie naturs' greatest gift
Wis jist tae loo'e the chiel

She got nocht for service rendered
Nae promise o' a man
So she wis mither tae three bairns
Ere she wis twenty one

Noo at the verra self same ferm
Wis a horseman cheil cad Jeck
A cotter man wi twa three bairns
His wife a perfec' wreck

Weel weel the peer wife wore awa
She couldna stan the strain
An Jeck wis left his leefi leen
Booe'd doon wi grief an pain

Annie saw the peer mans' plight
An telt the fermer chiel
She wis gaun tae rin Jeck's cottar hoose
An dae her wark as weel

The fermer bein a kindly man
An elder o' the kirk
He tried tae haud the lassie back
An said it widna wirk

Jeck he wis pleased tae get some help
So Annie packed her kist
Intae the cottar hoose she moved
The ootcome she wid risk

Sax bairns an Jeck tae wash an feed
Twas fair a ful' time job
She bakit roons o' bried an scones
Tae ful' the hungry mob

They sleepit baith in seperate beds
The rumours they were rife
Bit Annie kept Jeck hine oot ower
Till they were man an wife

A twal month efter Jecks' wife dee'd
He speired for Annie's han
He'd reached the age o' fifty nine
She wis jist past twenty one

Baith the faimlies they were happy
An at nicht there wis some soon
Ilka een wis fair delighted
Fan she hid anither loon

That wis the faimly up tae saven
Wid Annie chunced again?
Weel chunced she did - sine stoppit
Fan she got tae number ten

They got nae sillar fae the state
An wi the faimly growin
Jecks wages for a hale sax month
Wis only saxteen powen

Annie niver grat nor girned
Nor socht an extra maik
Contented wi' her faimly
An happy wi aul Jeck

I winner - Did they live ower seen
I winner - Fut they wid hae deen
I winner - Far on earth they've gaen
Aul Jeck an Annie.

Rachel's First Birthday

Disn't time flee at an afa rate
Ye're one year aul the day
A happy an' contentit sowel
A wee topper - I maun say

Ye're maybe afa sweir tae walk
Ye're feart that ye wid coup
Ye're pleased enough the wey ye are
Jist hobblin' on yer doup

There's nae a teeth yet in ye're moo
Bit ye'll ait ony kind o' fare
Wi' teethless gums ye chaw the lot
An' aften look for mair

Am pleased tae be yer Granda
I'm teethless tae ye ken
That's maybe foo ye try tae snatch
Ma falsers noo an' then

So Rachel, dinna change ma quine
Bide contentit as ye are
And ye'll find that happiness
Ma lass, is the greatest gift by far.

Niver Deen

A man o' words an' nae o' deeds
Is like a gairden foo o' weeds
His tongue can wirk oot ony plan
Bit rarely will he turn a haun

He'll fairly blaw 'bout fut he's seen
He'll even blaw 'bout fut he's deen
He'll tell ye fut he's gawn tae dae
He'll even say - jist wyte an' see

Foo ever lang ye wyte ma freen
His promised wark is niver deen
A bleetin' vratch aye on the dole
The kine o' chiel I canna thole.

A Walk Wi' Ian

Last Sunday my grandson took me for a walk
We'll jist gang a wee bittie an' syne we'll come back
Aye that's fut he said, as we yokit tae go
Wi' yon look on his face - I cud hardly say no

At length we set aff an' doon tae Cranhill
An' the sicht that we saw, gaed baith o's a thrill
Fower great muckle Clydesdales, fower shalties forby
I wis tempted tae back them - bit I didna try

We pooed girse tae the shalties, gaed them sweeties tae eat
Foo the crunched up the polos', tae them 'twas a treat
Bit the loon he wis anxious, mair fairlies tae see
He wis maist afa wintin', tae clim' up a chree

By this time ma legs were growin' rale sair
We'd hid a lang traivel, twa mile or mair
So we turned eence again, an' set aff up the hill
I wis puffin' an' blawin' - says the loon - "Are ye ill?"

Na na there's naethin the metter w'i me
Am naw near sae swack noo as I eesed tae be
Bit I'll help ye Granda - I'll shove ye ahin
An' he pushed an' he shoved, till he gaed oot o' win'

So we baith took a seat, for a smoke an' a bla'
Bit Ian says "Granda" - We'll need awa
Granny will winner far on earth we hiv gaen
So he took tae his heels, doon the road - a' his leen
He aye lookit roon, an' cried "Come awa"
I cud see he wis swacker, nor his peer Aul Granda.

The Weddin'

On Setterday Lord I wis aff tae a weddin
Ye weel ken twas a jolly affair
I seen cam tae ken a the fowk that wis bidden
I niver enjoyed masel mair

There wis natives fae Poland an Germany tae
There wis Indians, English an Scots
They a mixed the gither a happy an gay
Nae regard for the hue o' their coats

So I thocht I wid thank ye for lattin us meet
Different fowk - fae wir ane kith an kin
Tho ye're black as a craw or fite as a sheet
There's guid anaith a' bodys skin

The Watterie

Isn't a thing fine an comfy noo
There's even carpets in the loo
Bit sixty eer ago an mair
The watteries were sae caul an bare

Nae fancy coloured toilet roll
Nae bonny pot - a timmer hole
Ye'd nae fine ony carpet here
Some crackit waxcloth on the fleer

A timmer sheddie - sax by fower
Leanin like the Eiffel Tower
An cracks - far howlin win blew in
The reef a roostie sheet o' tin

The W.C. for Water Closet
Ye spent nae time on yer deposit
For fegs there wis nae comfort there
An caul on bits ye hid tae bare

Foo Water Closet? that beat me
For ilka een wis dry ye see
The fancy pot - a stable pail
I'll nae ging in tae mair detail

Upon the wa hung up wi threed
The Peoples Freen wis there tae read
It hid been torn intae squares
So ye jist sat there an said yer prayers

The seat wis aften roch an crackit
An files ye'd fin yer hin eyne hackit
Ye yarkit up yer drawers an sark
Five meenits - ye were back at wark

Bit noo adays they sit for ages
Hoastin - an turnin ower the pages
A cosy place tae sit an smoke
A safe seat & easy on the 'dock'

I dinna wint aul watteries back
Bit Lord be here the time they tak
There maun be oors an oors lost noo
Wi geein fowk a comfy Loo.

My Sair Back

I get up ilka mornin'
Sae stiff an' sae sair
It tak's me some effort
Tae get doon the stair

I widna care tuppence
I eence wis sae swack
Bit noo I'm jist connached
Wi' an afa sair back

Fan ye see an' aul billie
Boo't ower an' twa faul
Tak' a look at his face
He's maybe nae aul

Bit peer sowel jist like me
He's noo forced tae walk
We's knees near the grun
An' an afa sair back

Gin ye've itis or ism, there's peety for you
Attention ye niver will lack
Bit for billies like me, ach it's naethin ye see
The mannie his jist a sair back.

Automation

We've beat wirsels wi' science
O' that, there is nae doot
The wey that things are gaun noo
We'll seen be up the spoot

Automation - fut a monster
Tae tak' things ower fae man
The things it dis an' nae sae guid
As things be human han'

Mass Production - fut a scunner
Tae the hordes in factories packit
Assembly lines far craturs stan'
Near deefened by the racket.

The Banchory-Devenick Silver Jubilee Night

We're livin' in dicordant times wi' strife the warld ower
The heids o' states a' grabbin' for dominance an' power
We're nae neen better here at hame far we're plaguit wi' some scamps
That wid like a revolution an' reduce us a' tae tramps

We've lost wir sense o' values, petty dirt's gaen tae wir heid
A cheil he widna gang till's wark, cos Elvis Presley deit
We needna blame the government, ilka een o's is tae blame
An' tho' there wis a change the morn, wir thochts wid bide the same

I'll say nae mair on world affairs for I seem like some vote catcher
Ye're free to vote for Callaghan, or plump for Maggie Thatcher
Aye freedom - cherish that ma friens ye'll be richer we'it - nor gold
For gin that wis taen awa' fae's, we'd turn dummies - mute an' cold

Lat's turn an' speak o' brichter times, we a' look happy noo
Abody canna gang thro' life, aye hine doon in the moo
We hiv nae muckle city, an' wir populations wee
Bit widn't it be a peety, gin we hid nae Jubilee

Some say that she's ower dear tae keep, tae them it maks nae sense
Bit a' she stans for - this I'm sure, ye canna coont in pence
Some say she's jist a figure heid, a crooned - bit eesless cratur
Bit millions o' peer captive sowels, wid swap - for their dictator

I maun admit there's hangers on, bit the Queen she's nae tae blame
Tho' the hale jing bang got the seck, we'd hae tae keep them jist the same
Her high esteem the world ower, we've seen this Jubilee eer
Banchory - Devenick couldna fa ahen, that's foo we've a' come here

She's even gaen tae Ireland that country torn wi' strife
She brawly kent the IRA meant danger to her life
I'm sure we maun admire her, as amang the croods she walked
Takin' floo'ers fae little bairnies, smilin' a' the time she talked
So freens we shud be happy, that we've got a Royal Heid
Tae be ruled by a struttin turkey cock, we'd a' be better deid

The sillar that's been raised the nicht will surely help tae swell
The funds for helpin' craturs that are whaur aff than wirsels
So spen' as muckle as ye can, an' please de'it wi' a smile
So that organisers o' this do, will ken it's been worthwhile

New Glesses

A bleery eed sma loonie
Gaed toddlin' aff tae squeel
Jist a drochel o' a cratur
Bein' me, I kent him weel

I jist hid been a week or twa
Nae learnin' hid I deen
Fan a chappie wi' a wee black bag
He cam tae test wir een

Weel weel I niver past the test
The card I couldna read
So he measures me for glesses
Twas a' for my ain guid

In twa three days ma specs arrived
Complete in a broon case
I tried them on - looked in the gless
Oh michty fut a face

The lenses were most afa sma
Wi' golden legs an frame
Close gripped tae ma freckled nose
They gart me greet wi' shame

Next day I hid tae pit them on
An' aff again tae squeel
I looked queer enouch withoot them
Wi' them on, I looked a feel

Bairns can be afa cruel
I put in an afa day
An' fegs they ca'd me afa names
Fan we got oot tae play

Nick names I didna thole for lang
Nor yet ma cursuit glesses
I ploe'd alang wi' wattery een
An' kept them in their cases

Bit that wis mony 'eers ago
Tho' files ma hert string rugs
Fan I mine about ma howkish nose
An' hacks ahin ma lugs

I some doot noo, I wis a feel
The insults nae tae bare
For I can hardly see ava
An' hiv tae use twa pair

Jean an' Jack

Weel Jean an' Jack I'd like tae say
We're a pleased tae be here
For tis a great achievement
Tae be wed for fifty 'eer

Ye baith hiv hid yer moments
O' joy an' sorrow tae
Bit ye managed aye tae trauchle on
Wi' pride an' dignity

Ye niver hid a lot o' cash
An' yet - ye wer nae peer
Jean kept a coont o' every maik
An' Jack wis niver sweir

Ye niver not' a penter
Tae pit paper on yer wa's
Jack did the lot an' delled a plot
Aye prood o's tattie shaws

Div ye min the hoose in Bank Street
Good old number 22
Fan ye hid tae stan' an cross yer legs
Waitin' - your share o' the loo

The wash hoose on a Monday
Yarkit foo o' bairns claes
I ken I care fut naebody says
They were the good old days

For dash't ye a' were happy
As ye watched yer bairnies thrive
Jean maun hae sliced a 1000 loaves
Tae keep ye a' alive

They're a here roon aboot ye
Ye're baith happy I can see
So mak' this a nicht tae min aboot
Fut ever else ye dee

Tae Waterside young Geo cam' oot
His holidays tae bide
The ury he near teemed o' troot
As he scaffed the river side

His holidays cam' till an end
As by the weeks seen slippit
Aul Granny says afore he goes
His heid it man be clippit

So I set Geo on the corn kist
An' wi' the clippers startit
I jist got twa bouts up his heid
Fan fegs the clippers yarkit

A clort o' syrup in Geo's heid
It fairly stopped the shearin'
An we it aye danglin' fae his hair
Ben the close gaed Geordie tearrin'

The loon, bi this time wis in tears
Tae his Granny he hid fled
She yokit on him wi' the shears
An' tidied up his heid

An' noo am turnin aul masel
Tho' eers ahin aul Jean
Am maybe nae as soon's a bell
An' yet am nae near deen

We're pleased tae see aul Mac again
As young an' fresh as ever
You twa were blessed getting sic a cheil
Tae jine ye baith thegether

So friens lat's hae a nicht o' fun
The best we've ever seen
An' here's the verra best o' luck
Tae you twa, Jack an' Jean.

I Winner

Dear Lord it's a mercy
Ye've nae motors in Heaven
For doon here we're dementit
An' find it hard livin'

Dodgin' motors an' larries
A' fleein like Deils
Skitin' chuckies an san'
Fae their fest birlin' wheels

I winner gin ye wid calm drivers doon
I winner gin ye wid deaden the soon
I winner gin ye wid stop a' the reek
Afore a' yer craiturs lie dyin' or sick.

The Lollipop Lady

(Mrs Duncan fatally injured on A96)

She little thocht that mornin'
As she left fae Nicol Place
That the population o' Portlethen
Wid be ae peer body less

She'd deen the job a dizen eer
In summer sin - an sna
Weel like't bi' the bairns
She kent them een an a'

The warnin' lichts she hid switched on
Death - didna wyte for lang
For she wis knockit doon an' killed
Bi' a billie in a van

Noo this crossin' is a death trap
An' mithers live in fear
Aboot their bairnies hain tae cross
As by the motors tear

They've pleadit wi' the council
Tae get an underpass
Or speed restrictions - better lichts
They've peyed nae heed - alas!

We ken that sillars unco scarce
Bit fut price for a life?
Bill Duncan wid spen a' he's got
Tae get back his guid wife

It's aye the same wi' black spots
For accidents are rife
They wyte an' wyte till some peer sowel
Is killed - or maimed for life

Bit freens this mauna happen here
Fut happened wis nae dream
Keep yarkin' at the council heids
There's something must be deen

A mile or twa alang the road
They built withoot a cheep
So that nowt could safely get across
A fine new Cattle Creep

Bit fut aboot a creep for bairns?
They're worth a' ye can spen'
An' maybe Mrs Duncan's life
Wis nae laid doon - In Vain.

The Road Tae Bennachie

There's twa three roads tae Chapel O' Garioch
Ilka een is stiff they say
There's Scraiches an' there's Rabbit Neuk
Or up the Chapel brae

Haud ye up by the Aul Free Kirk
An the road doon tae Pitbee
Richt by the squeel - Look up ma frien
An ye'll see 'er - Bennachie

Isn't that a bonny sicht ma frien
Sit doon man - tak yer time
Look tae yer left an there ye'll see
The Castle O' Balquhairn

Turn richt an by the Chapel shop
Nae busy noo I fear
Sine by the Kirk far as a loon
The wird o God I'd hear

Ca canny by the aul Kirkyaird
Far Chapel fowk for eers
Aneath the shade o' Bennachie
Lie - ristin in their beirs

Div ye see that plaicie on yer left
Fine harled wi fite steens
Twas here that Harry Gall did bide
We were the best o' friens

The craftie on the richt han side
Oor faimlies hid for eers
I tell ye I wis happy there
Aye far mair joy than tears

A puckle fowk hae toilets noo
Bit fan I wis bidin here
We'd a wattrie in an orra neuk
Reid linoleum on the fleer

Gin natur called some stormy nicht
Wi lanter in yer han
Ye stottert doon the steeny path
An didna sit ower lang

Ye get a gran view o' the hill
As we gang ben the road
An lookin doon ower Knockies parks
Ye see Meldrum toon bi' goad

We'el haud up by Drumdurno Road
An tae the Maiden steen
The legends 'boot this muckle rock
Wid need a page it's leen

By the entrance tae Crowmallie
There's a wifie stanin bare
She's gey weel happit up wi' trees
Glower in - ye'll see her there

Look doon this leafy glade
Far shafts o' licht are seen
Twas roon here a did ma coortin
Fut a love nest - Eh ma frien ?

We canna linger langer
Gin ye wint tae clim the hill
We'el hurry by aul Firry's parks
Isn't athin - peacefu - still

I wrocht files at Pittodrie
An aft gaed up that road
Alang wi Wullie Watson
We've jist passed his abode

Aul Jimmy Duncan's plaicie
They've turned it upside doon
Gang in - an order mait or drink
Like a restuarant in the toon

We'll baith gang in an hae a bite
Ye'll maybe stan yer han
Ye've reached the fit o' Bennachie
She's the best in a the lan.

Derek's Birth

It only seems a week or twa
Since Brian mairrit Nom
An' here's them gotten a loonie
For tae brighten up their home

A bonnier loon I never saw
Am sure ye'll a' agree
An' gin ye tak' a guid close look
You'll see that he's like me

The Pailin' Post

I'm jist a post - a larrick post
Nae brains - nae guts - nae ee'
I've stucken here in Brodies park
Since eighteen ninety three

Ma fellow post on either side
Hiv rottit - deet - decayed
I'm left here stanin a ma leen
Prood - strong an' undismayed

Like you I've tholed a lot o stress
I've scars on me tae mark
Far yokie nowt hae clawed their doups
An forkies chawed ma bark

An bairnies comin tae the squeel
I've seen a thoosen weans!
Files set a bottle on ma heid
An pelt it doon wi steens

For me there's nae daylicht or dark
Nae caul - nae heat - nae win
I weel believe I'm better aff
Bein mute an deef an blin'

Ye've made an afa soss o' things
Ye're jelousy - ye're greed
Ye're graspin fingers squeezin aye
For far mair nor ye need

Bit fa am I tae gey advice
I'm jist a pailin post
Bit gin ye dinna sort things oot
I doot ye'll a be lost

Fan comin up by Tollohill
An gey near at the squeel
Look ower - ye'll see me stanin there
A teuch Aul Larrick Deil.

The New Minister

We're here the nicht tae meet the man
Tae see him - an' tak stock
O' wir new appintit shepherd
An' for him tae meet his flock

I'm pleased that ye're a country chiel
Ye'll ken the country style
An' that ye'll like ye're new abode
An' maybe bide a file

Noo I dinna ken the Cookney fowk
They dinna bide near han
Bit fut I've heard they're couthie sowels
Wi them ye'll get on gran

Maryculter's nae sae far awa
An I div ken twa or three
An eence ye've met them, I am sure
Wi me ye will agree

They're in the centre o' yer flock
An' nearer far ye'll bide
Guid fowk - bit nae neen better
Than the eens on either side

Bit Banchory - Devenick's my hame toon
We hae rich fowk - aye an' peer
An like idder places nowadays
We hae Saints an' Sinners here

Ye're Banchory - Devenick elders
Are a bunch o' dacent men
An' I am confident that you
Will get on weel wi them

The Kirk on Sundays' unco teem
It's aye the same aul few
Tae tryst the idders back again
Weel Lad - That's up tae you

Noo am nae here tae gae advice
An a' that I wid say
Is mak yer sermons short an lively
An' the singin' bright an gay

The twa o' you are fine an' young
So ma airm I'm gaun tae chance
An say the soon o' little feeties
Will seen echo thro' the manse

We wish ye health an' happiness
May yer troubles aye be sma
An' mind foo ever good ye are
Ye'll niver please us a'.

Ward 7

Ward 7 is just a home from home
They'll cure ye tho' ye're skin an bone
It fairly beats a Butlin's camp
Tho' ye be millionaire or tramp

There's nurses here baith fat an slim
A' bonny - neen o' them are grim
Swack lassies always on the go
The work goes on wi even flow

The grub is great - made in a pan
Nae orra trash oot o' a can
Big helpins tae for hungry men
For "nae weel" lads, some less ye ken

I've niver heard a nursie girn
Tho things be in an afa kirn
A cheery lot in number seven
It maks me think, It's jist like Heaven

The doctors dedicated men
We only see them noo an then
Withoot their skill far wid we be
Lyin nae doot in a cemetery

Good luck tae the staff on no 7
Good fortune to them a' be given
May they all have a good New Year
I've fair enjoyed my while here

Wir Ile

We Scots are gey important fowk
An' mair so wi' wir ile
We've seen a flood o' V.I.P.s
On ilka face - a smile

An' even Wilson, Thorpe an' Heath
Hiv come tae Aiberdeen
Tae try an' get's tae vote for them
Div they think that we're a' green?

A few 'eers back we niver saw
One chiel o' high degree
Come up an tell's foo great we are
Till they fun ile anaeth wir sea

We scores an' scores o' new fun' friens
We us they cud play scavy
The hungry hawks cud nab wir beef
An' leave us wi' the gravy.

Tawse's Flittin'

We're flittin' tae a braw new place
A great substantial biggin'
Wi' electric doors an' lichts galore
A bleezin' fae the riggin'

Nae doot the place is up tae date
It's square fae side tae side
There's ae thing that it disna hae
A place for me tae hide

There's nae a neukie for wir stove
Tae heat the billies pies
Bit fae the offices above
There'll be scores o' rovin' eyes

I'm nae a lad that likes tae skive
I'm niver feart tae yoke
Bit man it's fine tae hae a dive
For a twa three meenits smoke

We've a' been verra happy here
An' dinna wint tae flit
At denner time I'll miss ma cheir
As on the fleer I sit

Nae doot come time we'll like it fine
Wi' some help fae the Lord
For oor aul place we're bound tae pine
An' curse the Bon - Accord

Tae Tawse the verra best o' luck
An' may their contracts swell
It's up tae's a' baith great an' sma'
Tae think an' work like Hell.

No Electric Light

It's been an afa day o' win'
Wi' howderin' splyterie shoores
Afort green leaves an' brinches rin
An' birds firhoo their booers

An' fegs the weirs that span the sky
Were gey come at the nicht
They got wammelled an' the sparks did fly
An' left us withoot licht

We runkit oot the aul ile lamp
The gless aye shinin' clear
The wick a' trimmed an ily damp
Nae win' tae touch us here

Weel Weel I spent a pleasant nicht
Pleased tae be aff ma feet
The fire throwin' oot a twinklin' licht
Fae an orra firry reet

Wi' nae T.V ma thochts tae steal
Nae bleezin' licht abeen
Aye nichts like this I mind sae weel
As I sat there - ma leen

I sat for lang an' niver thocht
Tae rise an' birze a switch
Meenits like yon can nae be bocht
Serene - man I felt rich.

Gairden Pests

O fut a' eer o' gairden pests
As langs this druchty widder lests
Ma oors wi' spad an graip a' lost
It gars me greet tae coont the cost

Wi rooser an wi skilin tin
I've tried tae gar the beasties rin
Bit fegs I think on it they thrive
An keeps them healthy an alive

Ma carrits were the first tae gang
Ma neeps they winna stan for lang
Ma beetroot they've begun tae sheet
They'll a' lan in the compost heap

A hunner butteries ilka day
On cubbige leaves their eggs they lay
An fan they hatch the blades they chaw
I'm left wi runts - nae eese ava

It's gran tae hae lang oors o' sun
It's gran for gaein bairns fun
Bit fan the grun turns intae aise
It pits yards in a sorry mess

Ma tatties I've began tae hole
The sicht o' them I canna thole
Tae growe they've been as thrawn as mules
A twa three orra warty bools.

I hiv a fowe tomatoes
Weel fed wi muck an bleed
Bit I'm sure that Sunty Claas will come
Afore they turn reid

Bit futs the eese o' girnin'
It disna help I fear
We'll dell a' ower again an hope
For better luck next eer.

The Fecht

This fecht wis niver televised
An nae een saw't bit me
It happened on a winters day
Ablow an aul sauch tree

Ma ring side seat astride a gate
Gaed me a close up view
A robin an a muckle thrush
Were kickin up a stew

The fecht I saw wis a aboot
A big fat juicy wirm
The robin claimed he saw it first
An on his grun steed firm

The thrush wis twice the robin's size
I'll matched I maun agree
Tho' sma he hid nae wint o' guts
An glared wi' bleezin' ee

The thrush he made the first attack
The robin jumpit clear
An' turned an clawed the thrush's een
Wi taes as sharp's a spear

The big bird didna like it
An' attackit eence again
This time he coup't the robin up
An dreeve his big nib hame

I thocht the robin wid retire
Tak wing an flee awa
There's nae een cud ca' him a coord
Even tho' he wis sae sma

Inta the fray eence mair he flew
I saw the big bird flinch
He brawly kent he couldna win
So he took refuge on a brinch

The little robin preened himsel
On the girse he scoored his nib
Sine lookin' roon - noo far on earth
His that big fat wirm gaed

The time the fecht wis goin on
The birds nor me ne'er saw
The big fat wirm tak' his chance
An quately slide awa

That fecht it gard me stop an think
I turned an hid tae stare
The wirm wis teetin roon a steen
Tae see gin they were there

So futs the eese o' fechtin friens
Isn't it easier jist tae share
For a the time the fechts gaun on
Yer prize micht nae be there.

Mrs Stewart

Weel Mrs Stewart ye hinna lang
Doon the roadie ye maun gang
Leavin' a' yer freens ahin
Tears nae doot yer een will blin'

Will ye no come back again
Will ye no come back again
Ye've been loo'ed by een an a'
Aye, ye may come back again

We niver thocht a year ago
That you'd be dealt a cruel blow
Tae leave the place ye loo'e say dear
An' bide sae hine awa fae here

Some bonny day ye may return
An' walk roon heather heath an' burn
Ye'll aye be welcome that I'm sure
An' time yer hertache - it will cure

So dinna lat yer speerits doon
Keep smilin please an' dinna froon
An' tho' it winna be the same
We'd like tae see ye back again

Be brave ma lass an' dinna grieve
There's few here wintit ye tae leave
Bit noo it's deen forget the past
Ye may find happiness at last

Bertie's Clock

Fan abody gets hurtit an' nae doctor at han'
It's sair gin ye've teen a hard knock
So last nicht at a meeting - oor ain first aid clan
We're presented wi' braw chimming clocks

Weel, efter the opening speeches were by
The doctor wid mak' the awards
Some hid gotten their clocks, bit nae Bertie Burr
For his name it wis last on the cards

However noo Bertie his turn it cam roon
He stepped forrit a' spruced up an' neat
Took the clock in his oxter said thanks tae the doctor
Sine smerty gaed back till his seat

Bit Bertie's ill fashioned an' hid tae look in
Tae see gin his clock wis a' richt
Sine he fummeled wi' knobs till the alarm it gaed aff
He gaed abody a terrible fricht

Bertie's face it grew reid, foo he wished he wis deid
For the doctor wis still at his speech
Bit his pals got a shock fan Bert took the clock
An' shoved it richt doon the heid o' his breeks

It widna stop birlin' puir Bert's tum wis dirlin'
So he dived in tae tak' the thing oot
His pals were a' laughin' even the doctor wis chaffin'
For Bert wis embarrassed, nae doot

At lang length it stopped an' nae ahin time
The doctor got on wi' his yarn
Bert his naething tae learn, pittin' slings roon yer airm
Bit he's hopeless at stoppin' alarms.

Trees

There's great muckle forests fae Aboyne tae Braemar
Bit I ken a wee widdie - the best een by far
I can gey near see't a fae wir ain cottage door
It enchants me fan the win' sways the trees back an' fore

The shapes that I see - files a savage like cat
Sine a swirl o' the win' shortly changes a' that
Sine a chiel wi' a halo - Cud that be the Lord?
Tellin' me, noo ma mannie,jist hear ye my word

Alex Ewan

Alex Ewan he's been beadle noo for five an' forty eer
An' nae doot he's seen some changes, since he flitted oot tae here
Fan Alex cam there wis twa kirks, an neen o' them were teem
Noo the guid fowk o' Banchory - Devenick, they a' get in tae een

Alex mins fan a the fairmers, wi' their shalts an' fancy traps
Drove tae the kirk on Sunday in black claes an' bowler hats
Their wives dressed up in fancy shawls, an lang black trailin' dresses
Gang arm in arm in till the kirk, an settle in their places

An' as he steed there at the door, bidin' time tae ring the bell
An' aye watchin for the stragglers, aye ahin - like the coo's tail
An' as he ruggit up an' doon, the bells notes clear an' shrill
Tae hear her chimin' "Come Awa", I'll sweir gaed him a thrill

Nae ilka een can ring a bell, like wives they're fickle craturs
Ye hiv tae ken jist foo tae rug, the richt touch - that's fut maiters
It's nae easy bein a beadle - I eence wis een masel
Fowk think "My fut an easy job - a' ye dee is ring the bell"

Div ye min the aul kirk bilers, afa grippit aye for room
Wi' hackit sticks an' heaps o' coke, there wis nae wey tae sit doon
Ye hid lamps tae full wi' paraffin, an' a' the wicks tae trim
An' keep lamp glesses gleamin' clear, so that fowk could see the Hymn

Ye'd aye tae swipe the hale place oot, keep clean the hoose o' God
At that time there wis dubby beets, wi' nae tar on the road
The aul ministers they hid bikes, the present eens a car
Noo Alex man fut think ye, are they better noo, or waur?

Ministers are like ither fowk, they've faults like you an' me
Peer sowels they're smertly teen thro' han', foo ever weel they dee
An' fut aboot the elders?, are they movin' w' the times
The Kirk seems tae be losing lots o' oor young loons an' quines

Noo Alex can can ye tell me - futna section is tae blame
I'st the Kirk or the Ministers, or the parents back at hame
Weel weel I winna say nae mair, for fa am I tae judge
I sit an' dinna turn a hair, fae hame I winna budge

So Alex man it's fowk like me, that winna fash theirsel
Bit expec' tae get tae heaven, fan they're headin' strait tae hell
This soons mair like a sermon, Mr Auld wid disagree
Pay nae attention tae ma bletherin', for am sure ye a' ken me
So Alex man the best o' luck, to you an' your guid wife
We hope ye'll baith be spared for 'eers, tae lead a happy life.

Wintin' Awa'

Ae fine Sunday mornin' I set aff for a walk
Larks singin' abean me I hard
At a wee but an' ben in the neuk o' a wid
An aul man wis diggin' his yard.

He stoppit a mennit tae kinnel his pipe
I wore nearer, we startit tae news
Ae fit on his spad the wirey aul lad
Wis shortly expressin' his views

For nigh seventy eer he hid herdit the sheep
High up on the hills near the eagles retreat
An' noo nae sae swack - tho' his gairden wis braw
I wid news for a meenit - tho' wintin' awa'

Noo nae langer a loon - he'll be eighty in June
I can tell ye - he made me feel sma'
For his ootlook on life midst the world's din an' strife
Kept me listin' - tho' wintin' awa'

We newsed on Religion, loons an' quines takin' drugs
He telt me the wey tae kill forkies an' slugs
Foo the birds an' the beasts obeyed natur's law
I still steed an' listened - tho' wintin' awa'

The scientists he thocht hid gain far enough
Life for a' the wild craturs wis getting gey tough
Tae ging muckle farrer will be oor doonfa'
I sat doon on his barra - tho' wintin' awa'

The kirk he believed wis losin' it's grip
Gettin far ower commercial - ower much service by "lip"
A miracle wis nocht anither Bairn in the straw
I sat still an' listened - tho' wintin' awa'

On politics - weel - he jist gaed a grin
They promise the world afore they get in
The premier's name fae a hat I wid draw
An' I'm aye sittin' listin' - tho' wintin' awa'

The name of the aul man I'm nae gaun tae tell
Nor the coothie wee place far he chooses tae dwell
Bit this much I'll tell ye - come sunshine or sna
I'm gaun back tae see him - an' nae wint awa'.

Boddam

On Boddam's rocky coast there stan's
A biggin - made by human han's
A pyramid - cement and steel
Sae deep - ye feel close tae the deil

A twin labyrinth o' holes
Far squads o' men hid wrocht like moles
Ootside a lum - sae trim an' snod
Rorin' heavenwards - close tae God

I widna dare try tae explain
Yon's far abeen my feeble brain
Bit this I ken - He wis some man
Fa drew the first initial plan

The tunnel lang - bit oot o' sicht
Happit foever fae daylicht
Far surgin' watter throwe will stoor
Tae ca' the "thing" tae mak the poo'er.

It's winnerfu' that men w' brains
Can fashion sma' or muckle drains
Tae rin the watter far they wint
Ahin great pillars o' cement

At Angusfield hine up the stair
There's chiels - I see them sittin' there
An' wish that I wis een o' them
Wi' nout tae dae bit shove a pen

Bit Boddam fairly changed my view
Fae pens an' shovels yon place grew,
It made me winner there an' then
A picks nae eese without a pen

A splendid day for een an a'
An' as I turned tae come awa'
A' this wis due, the thocht struck me
Tae Tawse's Ingenuity.

Freens Fae Waterside

They baith hiv been the gither noo
For five an' twenty eers
An' I'll bet ye friens that they hiv hid
A lot mair joy than tears

Charlie eesed tae be a jiner
Bit changed his hemmer for a van
Noo he scoors the country roon an' roon
Sellin' athing that he can

Betty she's the orraman
She gars the boatie row
She'll quickly throw her duster doon
An' tak' a dirl o' the hyow

Jim he's startit market gardening
An' Charles helps him oot
The twa o' them hiv learned the wey
Tae mak' the brussels sproot

Noo Jim he's niver taen a wife
For quines he disna care
I winner gin he's worried tho'
Cos he's growin' scant o' hair

Charles he jist lives for music
An' nae doot he'll lead a band
Fa kens he micht turn oot tae be
Anither Jimmy Shand

He's composed a lot o' bonny tunes
Waltzes an' marches mainly
The next een he dis could easy be
A tribute tae aul Stanley

Far wid he get his music fae
It maun be fae his da
For his mither and his Uncle Jim
They baith sing like a craw

Aye there's some gey soons at Waterside
Fan the music billies meet
There's sae mony in the kitchie
Ye can hardly get a seat

Weel Weel the eers slip gently by
An' age comes creepin' on
Like the murmur o' the Ury
On her wey tae jine the Don

Ye only hiv twa aunties left
An' jist twa uncles tae
I am three score eer an' ten
An' Alicks ninety three

Ye'll be scunnert sittin' listin'
So I'll sit doon oot o' sicht
Bit the wife an' me are afa pleased
Tae jine ye a' the nicht

Best wishes tae the twa o' you
Guid health an' may ye thrive
I well believe ye'll baith be here
For anither twenty five

The Robertsons are near a' awa'
Fut's left are gaun deen
It's sad tae think that's a' that's left
O' a faimly o' fifteen

Its nae eese sittin' greetin'
Aboot the days gone by
Abody his tae work awa'
Thankfu' tae see the sky

Busy Toon

It's nae for me the busy toon
The surgin' croods, the constant soon
The pavements hard, sky scant tae see
Ae' day - that's jist enough for me

It gars me winner foo they thrive
Like bees a' birsin' in a hive
Their faces hungry like - an' wan
Maer like a robot, nor a man.

Div Ye Min

Div ye min' on the aul souters' shoppie ma frien?
Far he steekit on patches tae buits that were deen
An the vrichts, the fleer covered wi' pine scented spells
An boxes o' staples, pent brushes an' nails
Sine the smiddy wi' Brookie - his reid bloodshot een
Hid watched as he fashioned a pair o' horse sheen

Div ye min on the tyler fa' shewed the hale nicht
Tae lat oot Hillie's weskit that hid grown unco ticht
An the mole catcher's sheddie - wi' mole traps an' skins
An yon nesty aul gate that aye barkit yer shins
The aul mill an' the mullert a guid hertit chiel
The fine smell o' the kiln or a taste o' his meal

Div ye min on the darger he wis gravedigger tae
He keist peats, howkit drains an' files took a fee
Noo there's neen o' them left they've a worn awa
I believe ma aul frien there's only us twa
So be guid tae yersel an fut ever ye dee
Maybe - noo an' again jist min' aboot Me!

Holidays

We'll seen get wir holidays, far are ye gaun?
A billie he speird this o' me
He'll jump in a car an' drive near an' far
Or tak' a lang trip ower the sea

Some fowk they gang rakin' tae countries afar
Tae Belgium tae France or Madrid
They can hae that for me, for I'd raither be
Jist howkin' aboot in a wid

In a wid there's aye something new tae be seen
Be it beastie or bummer or bird
An' fragrait wee floories tho' a' classed as weeds
Growin' up fae the fine virgin yird

So tak' tae the road or haud aff abroad
There'll be pleasures for you o' a kine
Bit I'll jist bide here awa' fae the steer
Mang the scent o' the heather an' pine

This is your Life

A lad wis born at Tollohill
The nicht wis weet & afa chill
Auld Dod he drank a guid half gill
The meenit he saw Brian

For Brian wis an afa loon
He howled an' made an afa soon
His mither peer sowel in a swoon
Cried come on sleep noo Brian

They flew & got his bottle fulled
An thocht the loon wid seen be lulled
Awa tae sleep bit na fey na
His een he widna shut ava

The Cruckies were prepared to spen
A gey lang nicht o' grief an pain
Fan auld Dod thocht & thocht again
On fou tae sattle Brian

Aye Brian howled his face grew blue
He kicket up an afa stew
Dod fulled his bottle we's ain hame brew
By gum that sattled Brian

His eenies closed an wi a sigh
He winked at Dod a half closed eye
His hanny waved a tired Bye - Bye
Sine soon asleep wis Brian

Auld Dod he looked at Mrs C
A tear rolled doon her sleepy ee
Sine in her Boozie took auld Dod
An whispered in his lug Thank God

The loon got fat & grew & grew
His Mam took aff his hippins noo
Wi breeks & jacket a' in Blue
A masher noo wis Brian

At five yer auld he wis a man
The best he thocht in a the lan
He widna tak peer Betty's han
Up tae the squeel

At lessons weel he did his best
Wis jist as good, tae pass his test
Bit better far than a the rest
At playing tricks

As time wore on he left the squeel
He fairly wrocht an pleased Dod weel
Bit aye he hankered for a wheel
Tae steer a muckle tipper

Wi the wolesley or the larry
He's often apt tae roam
Scourin a the countryside
Jist like an atom bomb

He's had a lot o' lasses
He's een the noo cad Nom
An if a their "Chips" were end to end
They'd stretch fae here tae Rome

So Brian lad my stories deen
Keep lauchin jist like fut ye've been
An may yer life be aye as happy
For faith ye are a splendid Chappie.

Awa' Fae Hame

We're here the nicht tae celebrate
A laddie o' wir ain
He's gaun hine across the sea
A lang lang road fae hame

Bit isn't it gran' tae think that he
Has inspirations high
And is prepared tae tak' the risk
An' nae neen feart tae try

So shortly ye'll be aff tae fly
Aye miles abeen the sea
The highest up I've ever been
Is the tap o' Bennachie

Ye've aye been a weel daein' loon
Wi' nae coorse traits ava
I'm sure ye winna change yer weys
Fan eence ye are awa

Bide hine oot ower fae orra quines
Tho' they look afa bonny
Gin ye canna pick a decent een
Ye're better withoot ony.

The Birch Rod

They a' bade in the peershoose
A laich reefed but an' ben
The mither wi' three loons - three quines
Weet wa's in time o' rain

The father he'd been second lad
At a ferm toon up in Corse
Peer chiel - wis gotten lyin' deid
He'd been kickit bi' a horse

Een o' the loons an' me wis pals
An' Jimmy wis his name
A fite haired sober quate loon
Aye last at ony game

A loner - happy jist his leen
Ae day he took a walk
His mither she got worried
He wis late in comin' back

Fan he cam' the loon wis greetin'
He telt his aulest sister Peg
In Newtons park, he'd thrown a steen
An' broke a foalies leg

The fermer he hid seen the loon
An' come doon tae see his ma
The Bobby he wis sent for
An' wee Jim wis led awa'

Afore the coort he did appear
The loon hid nae defence
They niver took intill account
This wis his first offence

Noo Jimmy he wis terrified
The Judge - he looked like God
Changed tae the Deevil - an' roared oot
Ten strokes - wi' the Birch Rod

He wis made tae boo oot ower a steel
His breeks an' drawers taen doon
A chiel sine took the swack birk rod
An' laid intill the loon

The laddie he wis sick an' sair
An' wisna fit tae stan'
He got verra little sympathy
Fae the cruel whippin' man

Next day wee Jimmy wis sent hame
An' at the Sunday squeel
Us twa crept tae a hidey hole
I speired - "Foo did he feel"

Noo I wis anxious for tae see
The marks upon his doup
So he slipped doon his Sunday breeks
An' the sicht near gard me loup

Ten great reid scoors across his back
A' tinged wi' greenish blue
An inch atween each stingin' scar
Like furs ahin a ploo

The punishment wis maist severe
An' fair gaed me a shock
I niver will forget the weals
Across peer Jimmy's dock

Jim's crime wis verra mild compared
Wi' fut we see the day
They rape an' maim an' aften kill
An' get time - their fine tae pay

The vandals an' the Bully Boys
I'm sure get aff ower licht
A taste o' fut peer Jimmy got
Wid gae them a' a fricht

A Richt Guid Chiel

Davie Cruickshank he's wir local vricht
His jobbies deen aye affa richt
An jist in case he's short o' wark
He's Banchory Devenick's session clerk

Noo Davie's aften rale nae weel
His belly bothers him peer chiel
Bit tho' he be gey short o' win'
His wark it niver fa's ahen

The vricht he's far fae bein T.T.
I've seen him wi' a fair skitee
Three nips an' Davie's fu o' life
Nae carin' tuppence for the wife

I've seen him readin' fae the Book
On Davie's face a holy look
An' dasht he fairly did it weel
A guid vricht an' a richt guid cheil

For a' the wark that Davie's deen
He's connached twa three pair o' sheen
Wi' travelin' here an' travelin' there
Nae winner that his feet were sair

We've gaithered up a bob or twa
Tae gae tae Davie something sma'
Tae show him we appreciate
The help the kirk gets fae Greengate

So Davie lad the clockies yours
We hope she'll coont oot mony oors
O' happiness an' times sae rosy
Wi' Gladys claspit tae your bosey.

Sillar Changes Fowk

It's queer foo sillar changes fowk
I'm sure ye've seen't yersel
This happened tae aul Erchies wife
So their story I maun tell

Fan Erchie merriet Bella White
They kent fut peerness meant
They got a craft at Fyvie
At an afa little rent

They chauved awa for mony eers
An' tho' their rent wis sma'
Try foo they like wi' pigs an' hens
They made nae cash ava

Hooever Bellas' auntie deid
An' left twa thoosan' poun'
Bella got the hale ging bang
An' shortly went tae town

She gaed an' bocht a motor car
Aul Erchie got nae rest
He practised three oors ilka nicht
Bit failed his drivin' test

Weel Bella she wis angry
An' cad Erch a goukit stot
She learned tae drive the thing hersel
An' passed the test first shot

She yokit next upon the hoose
Reeve the lino aff the fleer
Got gran' new fittit carpets
Ach the price, she didna speir

The aul tilly lamp it got the heave
She got electric licht
Wi' floorey paper on the wa'
The place looked unco bricht

She got a new rigoot hersel
A' new fae heid tae tae
An' Erchie he got flannel breeks
An' a strippit picky say

She jined the weemins Rural
Wis made heid een o' the Guild
Got chummy wi' the lairds wife
Her hert wi' joy wis filled

The lairds wife wis envited doon
For a cuppie an' a news
Aul Erchie hid tae swipe the closs
For fear she'd spile her shoes

Bella wisna great at speakin posh
Especially tae her nibs
She hoped her sheen she didna blaud
While walking throwe the dibs

She offered her a gless o' wine
Or would she tak' some sherry
There' nothing like a moofu' ale
For keepin' weemin merry

The aul man wisna tae be seen
The lairds wife wondered why
Bella said that he was awful bad
With a blin lump on his thigh

The gran life didna lest for lang
Posh friens seen disappear
Gran' carpets, car an' fancy claes
Brocht not one grain o' cheer

The neigbhours that they hid afore
Grew few an' far atween
They'll be a gey peer lonely pair
Eence a' their sillar's deen

Happy Families

It's Eighteen years since we got wed
A happy married life we've led
We've hid wir girns, wir joy, wir tears
Still we've enjoyed those 18 years

I've aye hid jist gey ordinar jobs
Ma bankbook aye gey scarce o' bobs
Tho' aye rale peer we've kept oor pride
An' chauved awa aye side by side

Wir bairns have kept us aye in tune
Aye Ken & Nom & Edith June
Tho' aften coorse, they're aftener guid
Wi' bairns we've learned to "Keep the Heid"

At verse I doot I'm nae ower good
But at yer side lang syne I stood
Tho' nae a poet it's plain to see
I picked a WIFE she fair suits me

So here's tills baith the bairns an a'
I ken they like their Ma & Da
And may they hae good luck like me
And pick a partner good like THEE.

Scardogan's Barra

I've this meenit got ma notice
An' shortly I maun flit
There's one request that I maun mak'
So listen - This is it

I've an aul freen at the Loco Works
Nae freen wi' her can marra
So fan I leave in six weeks time
Can I tak' hame ma barra?

We've chauved for eers thro' rain or shine
Thro' frost an' wintry snaw
An' she's feelin unco sorry
Noo she kens I'm gaun awa

Some cheils hae gotten watches, clocks
Wi' name plates broad an' narra
I dinna wint sic fancy trock
Bit fegs - I'd like ma Barra.

Ellis and McHardy

It's nae sae verra lang ago
Since Ellis an McHardy
Hid twa three little lorries
An a we bit crampit yardie

Bit Lord they've fair expanded
An jist the ither nicht
I wis invited roon tae see their place
Twas an interesting sicht

We got roon there at seven o'clock
A man showed us the way
Sine up the stairs an there we met
A cheil cad Bertie Hay

We hid a gless or wis it twa
Bert said he'd show us roon
So doon the stair an aff we went
Intae the gatherin gloom

We saw the billies baggin coal
Their backs they didna boo
An it gard me think back thirty eer
They're lucky coal lads noo

They coup a wagon upside doon
An teem the hale ging bang
An it travels tae it's special place
On a belt near twa mile lang

The coal in great big muckle heaps
It wis a sicht tae see
Ae muckle een I noticed
Near as heich as Bennachie

Weel Bert he led us back again
A' the offices we saw
Sine back tae far we startit
An hid anither dram or twa

Bert, he niver stoppit newsin'
He'd a wird for een an a'
A gless for ever in his han
An nae een waur ava

They've depots noo ower a' the place
They're coals they fairly sell
An afore I left, Bert telt me,
He wis sellin coal tae hell

Spring Cleanin' Time

Is your wife as normal's she usually is
Or like a' ither body's een - a' in a tiz
Life wis pleasant till lately, athing gaun jist fine
Bit noo its upon us, Spring Cleanin Time

Wi' a the new gadgets the modern wife
His, her wark easy cuttit in half
Her mattress an' bousters she hisna tae stap
Wi' bagfus' o' feathers or caff

Her airms are nae sair wi' nae mangle tae ca'
Wi' a hoover the stew it gets sookit awa
Shove the blankets an' curtains intill a machine
A dirl an a swish an oot they come clean

Gin the greenie be dubbie - the widder gey weet
Hing yer wash ower a drier an' switch on the heat
Switch on yer iron - for there's nae heaters noo
There's a dial tae set for cotton or oo'

The aul wives fleer polish wis wax fae the bees
Nae winner peer sowels - hid ae hoosemaids knees
Tae gang doon on yer knees today seems a sin
Ye jist skite the polish stracht oot o' a tin

Pipe clay an' bathbrick hiv a' disappeared
A lot oo't wis used in the place I wis reared
Nae fenders nor sweys, nor tongs tae blacklead
Gin we hid a' wir wives, wid wish they wir deid

So at spring cleanin' time think back a fowe 'eer
An' min on yer Granny - an' at yersel speir
Fut wey did she manage? nae gadgets hid she
An' thank the Guid Lord for Electricity.

Nae an Ugly Tree

There's ugly hooses, ugly fowk, some near as ugly's me
In every wid that I've been in there's nae an ugly tree
Tho' they be deid an' sapless, shorn o' their leafy claes
There's aye some bonny feature, as their brittle airms they raise
An aul sauch pumpit - rotten, bit aye clingin' by the reet
Nae willin' tae fa' doon an' dee, mang saft an' sookin peat
I've watched een noo for mony eers, clean rubbit bare o' bark
Bit still - she's bonny stanin' there - majestic - prood - an' stark
Nae human han' cud mak' a tree, nae body be'it he or she
Fooever much they pose an' prie, can match my sauch.

The Cottars Setterday Night

[Modern Version]

The tables a' set wi the plates sittin teem
A bare lookin supper or so it wid seem
The mither an bairns sit lickin their lips
Jist waitin for Dad tae come hame wi the chips

At last a horn toots - they flee tae the door
Dad steps fae the car - the bairnies a' roar
Am for a pudden! a pie! or a fish
Dad lauchs an says weel jist tak fut ye wish

They sit roon the table the bairns start tae caper
The plates shoved aside they jist eat fae the paper
They've a richt guid tuck in enjoyed it jist gran
Nae dishes tae wash - Noo far will we gang

Mam's for the Bingo - Dad wints the pub
The little loon an quine are set for the club
The little eens canna be left on their own
I'll awa an ring up Auntie Jean on the phone

Auntie Jean 's comin - She'll be hear in an oor
Mam shoves in her curlers, Dad his face gaes a scoor
Dad's ootfit is sporty, reed sox on his shanks
While Mam is resplendent in blouse an Hot Pants

Fan Auntie arrives there's nae time tae news
We'll hae tae g'wa we canna stan queues
So cheerio Auntie switch on the T.V.
Ye'll be bidin' a nicht so jist mak yer tea

We winna be late we'll be hame afore two
So mak yersels comfy the bairnies an you
They a creepit hame afore twas daylicht
The cottar hoose door wis shut for the nicht.

Cheerio Guid Neighbours

I canna believe that the Gardens' are flittin'
Fae the crossroads they've lived in sae lang
The places deserted - a' the aul hoosies sittin'
Teem an' bare as the back o' yer han'

It's a peety fan freens hiv tae pack up an' flit
For neighbours are hard tae replace
An' ye miss a wee news or a cheery bit wave
An' a'body will miss a kent face

Ye're nae flittin' far but it mak's little odds
Fae Portlethen we'll nae hear ye cry
It's an' afa fine day, or fut afa roads
As by yer wee hoosie we fly

Here's guid luck tae ye a', may Norman & Con
Keep the auld een aye happy & gay
An' gin yer doon in the dumps on yer bicycle jump
An' come ower tae the shop for yer tay

The New Frock

Fan there's word o' a weddin', or some ither affair
The verra first words that I hear
I'll hae tae dae something wi' this afa heid
An' mercy me - fut'll I wear

Tho' the wardrobe be stappit wi' frocks o' a' kine
It widna be richt tae appear
In some auld fashioned claes
Tho' they fit me richt fine
O' mercy me fut will I wear

I'll gang intae the toon
An' I'll ca roon an' roon
Bit fegs a' the frocks are sae dear
The cheap eens are rubbish
Mair like some han' me doons
Oh me, fit on earth will I wear

Weel I'm hame aff the bus
An' without ony fuss
Ma frock I'll try on up the stair
Div ye like it? Ower lang?, bit I'll seen alter that
I jist flap doon, fair deen, on a chair

The sewin' machine I hear clunkin' awa
The frock near han' altered in shape
That's a lot better noo, ma heid I jist boo
An' silently stan' there an gape

I ken that ye're nae ony waur nor the rest
A lot better than some I declare
Bit I ken ye'll be happy, rakin' thro' yer wardrobe
Tae see yer new frock hingin' there

Granny's Treat

Granny Lipp she set aff, her first grandchild tae see
A trip tae Glesga' she felt fine an' free
Amo wis at the station they got in ower a bus
An' awa' tae Kate's hoose withoot ony fuss

She got a grand welcome fae Amo an' Kate
For the first time in eers she emptied her plate
Sine they a took a seat - wi' the bairn on her knee
Aul Granny sat nursin' - as pleased as cud be.

Noo Amo thinks dash't I'll gae Granny a treat
So for Kate an' her mither he bookit a seat
They baith got dolled up an' awa' tae the show
An' left the new grandchild tae the care o' Amo

They got tae the theatre an' got settled doon
'Twas a quate kine o' show - an' nae muckle soon
Granny seen turned sleepy an' startit tae yawn
Her een gaed the gither - she gaed intill a dwam

She kent nae a wird that the players were sayin'
Nae a note did she hear that the band lads were playin'
Jist sittin' daein' naethin' tae her wis a treat
She kept noddin' an' noddin', sine fell aff her seat

Noo naebody kens foo lang there she lay
An' Kate niiver missed her - she wis watchin' the play
Twa three fowk steppit ower her, they think she wis foo
Granny lying comfy jist snored like a coo

At last Kate looked roon an' thro' the dark peered
Astounded her mither hid jist disappeared
She sprang fae her seat - as a mannie cam' by
The mannie says "lassie, we'll jist let her lie"

The mannie wis determined tae gae her the kiss o' life
Granny wis far better lookin' nor the mannies ain wife
Bit jist at that moment, some een rang a bell
Kate's mither sprang up an' sprintit like hell

Tae the door o' the theatre she wis aff like a shot
She thocht 'twas the bell o' her ain little shop
Kate efter her mither as fest's she could speed
Aul Granny steed up an' wis her face reid

They started tae lauch, aul granny says "well
'Twas a guid job that somebody rattled that bell"

To Amo, the next time ye invite Granny doon
Tae see the next grandchild - I hope it's a loon
That she'll keep aff the bottle - me she canna cheat
It wisna wi' sleepin' - she fell aff her seat.

Threeds

In ilka cloot there rins a threed
That dominates the lave
There's een rins thro' the human breed
Fae cradle tae the grave

There's threeds o' passion guid or ill
That some o's can control
While idders born wi nae self will
The consequence maun thole

The threeds o' jealousy an greed
Are teuch an' hard tae bide
Like thristles on an ill ploe'd fleed
They're michty hard tae hide

The coorsest threed amang them a'
It surely maun be pride
Far blawn up peacocks - eence sae sma
Sweep lang kent mates aside

We dinna a' come fae ae cloo
There's guidiy threeds forby
It's up tills a' tae sort wir oo
At least we a' can try.

I Grudge Nae Boss a Bentley

I grudge nae boss a Bentley
Gin he's earned it - fair enough
As lang's he plays fair wi' his men
An' disnae treat them rough

It's gran' tae hae a business heid
An' up the ledder clim'
It's grander still gin he's respec'
For the craiters under him

It's gran' tae hae a muckle hoose
Wi sax acres o' a feu
It's grander still - a but an ben
Gin it belongs tae you!

I'm nae jealous o' the Bosses
Wi their Bentleys - Rovers - Jags
The best o' British Luck tae them
I'm far happier - tho' in Rags.

The Blind Singer

He sang o' rivers hills an glens
Dark island - bonny moorland fens
It flowed fae him each note sae clear
Each sang earned him a herty cheer

For faith the singer couldna see
Nae shaft o' licht got thro' his ee'
The sichts he sang o' he'd ne'er seen
Nae vistas for his sichtless een

We girn o' headaches cauls an flu
Phone Doctors - fut howdey de do
Yon blin man fairly lat me see
The way tae treat infirmity

So Lord I thank ye for my sicht
Fan dawn comes in I see the licht
Tae sowels that ken nae dark fae dawn
Gar ilka een o's lend a han.

Grants

There's Grants for this an' Grants for that
Nae winner that wir country's flat
It's easy tae get fut ye want
Apply an fegs ye'll get a Grant

There's Grants for biggin athing noo
There's Grants for keepin ae hill coo
There's Grants for plooin hilly grun
We'll shortly get a Grant for fun

Oh fut an odds since days gone by
Fan prood men held their heids up high
Nae rich eens mind ye - workin' men
Aye independence - wis their aim

Social Security - Doctors' lines
Tae dodgers fut a blessin'
School Grants tae grown up loons an' quines
Their sex fair keeps me guessin

As seen's yer born - aye there's a Grant
The howdie wife she's free
An' tae lat ye get the shroud ye want
Ye'll get een fan ye dee

The Flittin'

The Term means naethin nooadays, bit fan I wis a loon,
'Twas a verra great occasion flittin' till anither toon
It aften turned oot caul an' weet fan cairts wi' timmer frames,
Ca'ad at the lowly cottars' door, tae flit their odds an' en's

The guid wife she'd been up a' nicht, tae her they left the packin'
The aul man busy wi' the aix, some mornin' sticks wis hackin'
The bairns - some only in their sarks, steed at the cottar door
An' fan the cairts cam' intae sicht - "They're comin noo" they'd roar

The girnal it wis first in ower, 'twas gey near foo o' meal
The iron bed gey chippit noo, wis bunged in ower as weel
They biggit a'thing on ae cairt, the idder een aye teem
They fulled it up wi' broken posts an' birns o' funs an' breem

A chest o' drawers, the knobs a' aff, a claes horse an' a cradle
A tykin yarkit foo o' caff, a fite wid kitchie table
She'd packit foo the washin tub, an aul basin an a ure
A fite-enamelled chunty that hid got mony a clure

There wisna verra muckle fan ye saw it a' in ower
The umman got a heisty up an' sine her bairnies fower
They were ready noo tae tak' the road, tae them 'twas naethin new
Sax month wis lang enough tae spen' at a place like Fountainbleu

'Twas fourteen mile tae Steenyfaul, an' it bein caul an' weet
They happit up the wife an' bairns wi' a gey "come at" caff sheet
Wi' dottled doups an' wattery een they reached their new abode
An' orra lookin but an ben, near three mile aff the road

The pent wis aff the windaes, the door wis open wide
The rain hid blawn in thro' the place, 'twas in some soss inside
The bairns hungry - greetin', their beens a' stiff an' sair
Peer things they were a sorry sicht, a' stanin' shiverin' there

The men they cairrit in the stuff, maist o't gey weet an' dragglet
The wife wi' twa three birns o' breem at the fire wis fylies hagglet
At last she got it lichtit, nae reek gaed up the lum
Wi' nippin een an poucherin' bairns, tae her it wis nae fun

The muckle kettle on the swye, at last began tae bile
She masked a cup o' guid strong tay, an managed - jist - tae smile
The horseman he gaed aff tae lowse, 'twas lang by lowsin' time
The cottar fowk were left themsel's, they said they'd manage fine

They tried a paper up the lum tae get the fire tae draw
Bit furlin' win' fae up the glen, aye doon the lum did bla'
Noo naethin' for't bit mak' the bed, the bairns crib, an' the cradle
They're fowe things scatterd on the fleer, bit maist o't on the table

A dichtie wi' a soapy cloot wid dee the bairns the nicht
They're bath aye foo o' orra trash, wis happit oot o' sicht
The bairns sat roon the reekie fire, like craws roon chimney pots
They're sarkies barely lang eneuch, tae hap their skinny docks

At last she got them beddit doon, foo did she stan' the strain,?
Ae little een wis greetin', an' wintin' tae gang hame
'Twas gettin on for twal o'clock, ere the cottars crawled in ower
The twa o' them fair wabbit oot, they'd been slavin' on since fower

The caff bed it wis unco weet, the blankets damp an' a'
There wis nae thocht o' love or sex, each kept tills' ain caul sta'
They hardly got a wink o' sleep, fan dawn cam' in they rose
The thrawn fire eence mair tae licht, for watter for the brose

He left the hoose at half past five, at sax he hid tae yoke
The wife wis left her leefu' leen, 'mang dubs an' breem an' smoke
It took twa three days tae sattle doon, bit they took tae their new ferm
The hale faimley they were happy, there'd be nae flittin', come the term

An' tho' the hoose wis reekie kine, wi' new ochre on the wa'
The caff bed warm an' cosy, gard the aul man leave his sta'!
Altho' they were most afa peer, nae cash is knot for love an cheer
They chose their road an' wrocht awa, nae fowk like them are left ava

Prayer for Rain

For weeks an' for weeks, we've hid nae rain ava
Sen's a splooterie time, or a guid puckle sna
We canna get ploo'ed, the grun'd bein' sae dry
An' ma airms they are sair, cairrin' sap tae the caie

I ken it's nae easy tae please ilka een
T'wad be fine tae hae naethin' bit bonny sunsheen
The grun maun hae watter the wallies tae ful'
An' the lade maun be lippin', ere we yoke wi' the mull

So Lord I wid ask ye tae sen' us some sap
For the aul fashioned pump or the new fangled tap
Are a' sittin eesless, an we're a' blamin' You
So Lord eence again - see fit ye can do.

Vratch o' a Corn

Fan God made the world, sine created a man
He gaed beasties a tail or a horn
An' weel aneuch made for that I am gled
Bit foo did he gae me a corn

Noo I hiv a corn on my little tae
It dirls an' it throbs a day lang
I've howkit it, rubbit it, bathed it wi' balm
An' it's aye there I'm sorry tae say

Fan I visit the souter for a new pair o' sheen
I look for great wide eens an' saft
For gin they be gripped, I jist canna stickit
For that vratch o' a corn drives me daft

I've seen me rale tired, gang awa tae ma bed
Jist thankfu' tae get a lie doon
O' fut a treat as I rax doon ma feet
Sine ma corn it gets started tae stoon.

The Strap

Oor domine he eesed tae stan on his taes
An hine ower his heid, the tag he wid raise
Tho' ye rowed doon the sleeve o' yer jersey or sark
He brocht the thing doon, wi siccan a yark
Be it covered or bare by jabbers 'twas sair
An files left a muckle blue mark

The bairns o' today
I'm sorry tae say
Maistly a dee fut ever they wint
At the squeel or at hame
They're a much the same
Since the strap's been forgotten or tint

Fan I wis a loon, I can still feel the stoon
As I held oot ma han for the strap
Sax on each han, wis a I could stan
An' it made me think - Nae mair o' that.

A Walk Wi' a Shepherd

I wis ready for the Sunday Squeel
Ae Sunday morn lang sine
Ma mither she hid heard ma text
Ma face an' buits a' clean

I hidna gaen far doon the road
A great sicht met ma ee
A shepherd wi' a flock o' ewes
Thinks I, Fut will I dee?

The shepherd wis a newsy cheil
Says he ye're for the Sunday Squeel
I lookit at him - gaed a grin
Sine turned an' walkit back wi' him

We knipit up by Knockie's Road
The shepherds' name I learned wis Dod
His dogs - een Bess the ither Mirk
An' fut a pair they were tae wirk

His fussel jist a simple thing
A hole cad thro' a bit o' tin
Each note his dogs could unnerstan'
Which hid the brains - the dogs or man

I niver gaed a thocht tae time
Eleven o'clock an' we're in Oyne
Like Mirk an' Bess the shepherds' plea
Wis aye the same "Ca wa tae me"

I maybe wis jist ten eer aul
Jist noo I felt near ten feet tall
The shepherd gaed tae me his crook
Sine's fussel - Did I blaw or sook

I first tried Bess tae come in bye
Haud oot ower wide tae Mirk I'd cry
Five hunner bobbin wooly sheep
Me in command - aye I cud dee't

Aul Dod he says "Ye're far fae hame
Tell yer fowk I'll tak' the blame"
Fan ye grow up fut will ye dee
I'll be a shepherd same as ye

I wis afa sweir tae leave the sheep
The barkin' dogs the aul ewe's bleat
An' as I turned an' made for hame
I vowed the shepherd I'd nae blame

The road gaun back seemed afa lang
As guicker my short legs did spang
'Ere I got hame the denner's bye
The aul man's sittin' at his fly

"Far hiv ye been I'd like tae ken?
Tell me the truth sine come on ben"
An' raxin doon aneth his cheir
His hard-soled slipper did appear

Tho' afa feart I didna greet
Ma legs bein tired I took a seat
An' as ma story did unfold
A change on 'is face I did behold

The hard soled slipper he laid doon
Sine noddin' says ach weel ma loon
Ae shepherd's jist as guids anither
Ye'll get some denner fae yer mither.

Breast Fed

Fan did ye see a wuman
Wi' a bairnie at her briest?
The little man num-numin
Wi' naturs' greatest feast

I'm sure it shouldna cause affront
It disna till a beast
A sookin' bottle's hard an caul
Forby a mithers' briest

Some mithers are unfortunate
By ills an' pains are keist
Bit ilka healthy mither
Shud feed her bairnie at her briest

The Greenhouse

I gaed roon tae ma greenhoose, ae caul summer's nicht
Tae feed ma tomatoes, an gey the fleer a bit dicht
Fan roon comes the wife, Come on in says she
An watch Princess Anne, awa on Safari

Says I that's o.k. - I winna be lang
So she closes the door, an awa' in she gangs
Bit unknown tae me, the door she hid lockit
Thank God I hid spunks an' fags in ma pocket

Weel I howkit awa an pooed a' the weeds
Sine guttert aboot wi packets o' seeds
An swipit the fleer, gaed the windaes a clean
Kept glowrin ootside, nae a sowel tae be seen

The scullery windae I aye kept in view
The wife eence cam ben an I mood like a coo
Bit she gaed me a wave, gid back far she cam
Sat doon an enjoyed watchin' dear Princess Anne

She put on the heater the temperature rose
Her een gaed the gither, she startit tae doze
Afore verra lang the lady wis sleepin
While ootside her man the lang watch wis keepin

I lichtit a fag and took a lang draw
An anither, an anither wi nae thocht ava
Aboot cancer or hostin or ony disease
By this time I'm caul an doon on ma knees

The fleer is cement an ma sheen afa thin
The caul wis aye wearin up nearer ma chin
Fan I noticed ma lampie I lichtit wi glee
An tae mak me feel waur, I wis burstin tae pee

I couldna sit doon on the caul cement fleer
I wis feart that ma piles wid seen re-appear
So I startit tae hum an advance and retire
Like a moose in a cage or a stot in a byre

Some lassies cam by an I roared like a bul'
But they took nae notice, I sat doon feelin dull
Glowrin up at the windae ma neck it grew sair
Ma feet bein sae caul I hardly kent they were there

So I got haud o' ma trool, this wis nae eese ava
An startit tae yark and lay tae the wa'
It wakened the wife, her heid ceased tae nod
Bit she thocht that her man wis jist deein a job

So she snuggled richt doon, her legs weel raxed oot
Watched a Panorama, the News tae nae doot
By this time I'd advanced an retired twa three mile
I ken foo I'd feel coopit up in the jile

So I took aff ma sheen held ma feet ower the heater
An played wi ma taes - Come back Paul, come back Peter
I shortly got scunnert o' playin wi mae taes
Some billies cam by an foo ma hopes raise

I roared an I danced inside ma gless cage
Bit they passed me by an disappeared in the haze
Eence mair I got haud o' ma aul trusty trool
An laid tae the wa' an howled like an ool

Bit I shortly gave up an sat doon on the fleer
Bit ma doup got sae caul I hid eence mair tae rear
An inta ma marchin fut else could I dee
Wi a drap at ma nose an a tear in ma ee

The news it wis by - they hid startit wi Brett
The wife thinks it's queer he's nae comin yet
So ben tae the scullery she looks oot tae see
She waved me inside bit fut could I dee

I made funny faces tried tae stan on ma heid
That made her come oot - an wis her face reid
Fan she foun' the door lockit, her aul man steen caul
I followed her in like a corpse - an twa faul.

Prayer for the Astronauts

This is the day they come hame fae the Moon
For mair nor a week they've birled roon an' roon
Like een o' your stars, day an' nicht the thing flew
An' finally landed up - nearer tae You

They've howkit up rocks an' photies they've teen
Tae try an' fin oot aboot yer world up abeen
An' as they come doon the last lap o' their run
Help them a tae get safely, back on tae the grun

The Loss o' Wir Widdie

We hid a bonny widdie at the gale eyne o' wir hoose
Wi' beech an fir, some orra trees, a' twa three bonny spruce
Bit lads wi' birin' saws, they cam an' razed them tae the grun
The hillies bare - jist heather noo - a bus' o' breem an fun

Fan north win's bla' an' rain an' snaw comes furlin' doon the hill
We miss wir wid - she sheltered us -noo fegs we feel the chill
They've planted o'r I'm pleased tae say, wi' spruce - an tho' they're sma
They'll growe - Waes me I winna see them - for I'll hae worn awa .

The Scotland v England International

This week I prayed for wir laddies in Blue
Peer Ormond left Hampden gey doon in the moo
We were beat by the English, nae bother ava
Some o' oors looked as if they ne'er seen a fitba

We'll sair need yer help tae build up a side
It's a peety ye couldna come doon here an' bide
Till the next International then we'd see Scottish glory
Ye'd gae wir loons Patsy's feet an' the heid o' McGrory.

The Clochandichters

The Clochandichter Cronies, the caup hiv won at last
An' foo they've wrocht an' chauvin' hard, tae get it in their grasp
An' noo they've got a haud oo't, they'll be sweir tae lat it go
So fan Bothy Nichts come on next 'eer, they'll pit on a super show

A' think 'twad be an afa shame, tae pick oot ae particular name
For everyeen gaed o' their best, an' fairly passed the Grampian Test
A'body sittin' lookin' in, wad think that's easy deen
Bit I've try'd it, an' am tellin' you, it's nae sae simple as it seems

The Billies in the studio are nae afa guid tae please
Ye're shifted here -ye're shifted there, ye hiv tae sing - nae wheeze
An fan ye think ye're deein' gran' a mannie's voice ye'll hear
Jist try an' face the camera please, we dinna wint yer rear
Weel, weel oor Billies won the cup, nae doot they were the best
So friens jist a' enjoy yersels, an' wish them A' the Best.

Bar None

Bar None he wis a shorthorn bul'
An fegs I kent him weel
I sortit him for twa three eer
Fan I wis a baillie cheil

Aye fegs he wis a bonny beast
The best I've ever seen
A deep deep reid a bonny heid
Great wide atween the een

His calves they selt for thoosans
Prize winners ilka een
As time wore on like you an me
Aul Bar None he gaed deen

He wis floatit till an ootferm
Tae end his days in peace
A week or twa an aul Bar None
Wis thinkin, It's nae eese

He got weary weary wintin love
The licht gaed fae his eyes
Ae mornin' he lay doon tae rist
An wisna fit tae rise

They tied a rope aroon his neck
An hauled him fae the byre
He tried tae rise a fyowe times
Bit aye sank doon in the myre

They phoned the laird aboot 'im
An speired fut they wid dee
The vet he cam an shook his heid
He's deen - as fars' I see

The aul bul' wis courageous
An struggled tae his feet
Tae see him stanin shoudin there
It nearly gard me greet

Twa cheils fae Inverurie
Cam up tae dae the job
They hid a gun for killin nowt
A flat thing wi a knob

They placed the gun on Bar Nones' broo
Sine fired - then open mooed
An neen os' cud believe wir een
For his legs they niver boo'ed

They tried again without success
There's nocht that we can dee
The peer aul brute he shook his heid
An tears rolled fae his ee'

The gamie steppit forrit
An smertly raised his gun
Sine fired a shot atween his een
An he slippit tae the grun

For me it wis a tragic day
I didna hide ma tears
Tae see the docile lifeless brute
That I hid kent for eers

The laird he got the great heid stuffed
Preserved withoot a flaw
An aul Bar None he still looks doon
Fae his throne upon the wa.

Nearly an Accident

Oor lavies nae richt ready yet
An' I wis burstin for a s***
Tae oor aul lavie ower I flew
Tae find in there a bloomin queue

Up tae the store I made my way
Baith doors were bolted, sad to say
I must hae looked a sorry sicht
Ma spindly legs baith gripped ticht

I tell ye friens it wisna funny
Queer rumblin soons cam fae ma tummy
Thinks I am in an afa fix
I'm gaun tae file ma Y front knicks.

Doon tae the office next I sped
A cheil he spoke - wis my face red
I niver gaed the man a glance
Bit passed him by as in a trance

At last I reached the little room
So pleased at last tae get sat doon
I sat a while there to ponder
Hid it been closed- well, well, I wonder

A Trip to the Moss

I spent an oor doon at the moss
Took hame a bag o' peats an dross
The saft het win - the mossy smell
I heard me speakin tae masel

Fut did I say ye weel may speir
Will I be spared an ither eer
Tae gaither bags o' peat an dross
My going - wad be nae great loss

But still I said I'll wirk awa
An hope aye for a lucky draw
Life's like a game o' pitch an toss
Some get the peats - the ithers dross

I min I said ye're gaun deen
I min I said am nae maleen
An sine I leuch an telt masel
Keep young aul man - that winna fail

I heard the peezie - whaupin- cryin
Ae craw - "ca cain" by me flyin
I min fine foo I said Well Well
The verra birds speak tae their sel

I stottered ben the aul moss road
Gey burdened wi ma peaty load
Newsin awa like a dottled cratur
Fin a body's happy fut dis't metter

It's gran an oor o' solitude
It aften pits ye in the mood
Tae view yer ain bit gain - or loss
Fan gaithern bags o' peat an dross

So gin ye're doon by Jameston Wey
The moss is there so cry in by
Behave yersel an mak nae soss
An dinna touch ma peats an dross.

Wullie Ross

There's a jiner ower in Kemnay
An his name is Wullie Ross
He rins his business by himsel
He canna thole a boss

Gin ye wid like a first class job
Weel dinna miss the chance
Nae only will he sort yer door
He'll teach ye foo tae dance

I niver thocht t'was in him
At the age o' fifty five
Bit he's teen a new lease o' life
Noo he's learnin fowk tae jive

They tell me that the weemin fowk
Nae idder jiner will they hae
They'll easy wyte sax month or mair
For the dancer fae Kemnay

He's startit up a dancin' class
The hall aye yarkit foo
The youngest pupil she is ten
The auldest ninety two

He likes aul fashioned waltzes
At heilan dancin' he's nae keen
But he's bocht a kilt an' sporran
An' taks lessons noo fae Jean

An' he's bocht himself an evening dress
Complete wi' spotty tie
An' dancin pumps an' skirie socks
His Wyness heid held high

He taks langer noo tae dee a job
Wives winna lat him be
He used tae chairge twa poun the oor
Bit noo it's up tae three

He niver hid a lesson
Ach it's jist a Wyness gift
Bit wi' flein' on at sich a rate
He's some bothered wi' a rift

He tells me that's wi' hummin' tunes
Tae shift aul crochtey wives
As he whirls them roon an' roon the fleer
Hain' the best time o' their lives

He gaed a demonstration
At ae place he wis at
The weemin fowk a' fentit
As he mesmerised the cat

For he steed up on a tressel
An fitewashed the kitchie wa'
An a' the time his hairy legs
Were deein the Paddy Bas

Gin yer byre doors need patchin'
Weel the fairmers' nae the boss
The wife she'll lift the tillyfone
An beg for Wullie Ross

P.S.
He has only ae male pupil
A cripple cheil cad Begg
He's only teachin' him tae dance
Cos he made his timmer leg

P.P.S.
Noo gin his number be engaged
An' you feel afa keen
He bides doon the Aquithie Road
In a caravan - HIS LEEN.

To Company Car Users

Wi petrol sic an afa price,
I doot you billies maun think twice
Afore ye roon the country scoor,
At fifty, sixty miles an oor.

Ye maistly hae a high pooer'd car,
A gallon disna tak' ye far.
Fan drivin' dinna "Lat er Rip"
Fae aff the throttle ease yer fit.

Unnecessary journeys tee,
Cut them a' oot - an' then ye'll see,
A twa three thoosan mair tae spen'
On wages - or on Dividend.

For the Grace o' God Go I

It's afa easy for tae spy
The mote in some peer sinners eye
Tae seek revenge that mauna be
The role o' oor society
For maist o's hiv that self same mote
'Twas even wi' us in the cot

The bairns they maun be shown the wey
Tae tak' the road wi' ideals high
It's ill tae judge a' body's mind
For we're a' made a different kind
An gin ye're heid gang wrang - weel weel!
Ye truly turn a peer peer cheil

An then again, gin saft ye turn
Wrang deer's - help will aften spurn
An say that deil a cratur cares
For them wi' heids in ticht drawn snares
It's maybe true we dinna care
It's maybe true we cud dee mair

Tae help peer sowels wha's heids are wrang
An' show them the richt road tae gang
Jist coont yer blessin's - gin ye've got
Control - ower things that start the rot
Nae doot within yersel ye ken
That ye've deen things abhorred by men

An' gotten aff - ye live a lie
For there bit for the Grace O God go I
Some advocate the hangman's noose
While idders say jist turn them loose
In some dark lonely foreign isle
Twad save us peyin for the jile

That widna sir - the problem solve
For lang as sun an' earth revolve
A Judas will be born each day
Without Control ower's Destiny.

Will My Aul Suit Nae Dee?

The postie delivered a weddin' invite
Tae aul Jock an' Jeannie wha lived at Fitestripe
The aul umans' neice wis gan tae be bride
Till an afa posh mannie fae posh Kelvinside

In Glesga the waddin' wis gan tae tak place
W'i excitement aul Jeannie got reid in the face
The morn the twa o's will visit the toon
An' baith get rig oots', a new suit - a new goon

Aul Jock he sat puffin' his pipe at the fire
They tell me says he, a suit ye can hire
A new suit's jist a waste for an aul man like me
Ye can get a new goon bit nae new suit for me

Weel weel the next day they set aff on the bus
Aul Jock wis fair scunnert, wi' sic a like fuss
Aul Jean tryin' hard tae get him tae laff
For hersel jist delighted tae get the day aff

They decided the suit wis the first thing tae buy
So doon tae George Street the twa made their wey
Jock looked in the windaes wi' suits yarkit foo
Says tae Jean - Weel theirs neen o' them made oot o' "oo";

They steppit inside an' a mannie cam ben
I'm needin' a suit "Aye jist for a len"
The mannie says sorry we dinna hire suits
Aul Jock gaed a grumph an' glowered at his boots

They tried twa or three an' they a' said the same
Ach we'll jist hae tae buy een afore wi' gae hame
Eence mair they gaed in - the place lookit braw
They baith got some tea an' a biscuit or twa

Wi' glowerin at patterns aul Jock's heid wis sair
I'll jist tak that broon een he cried in despair
He wis shoved in a closet tae try the thing on
Tae get the breeks on he'd tae strip tae the bone

Fae aff his aul breeks his galluses he took
An' for buttons the aul man he startit tae look
Deil a' een wis there there - nae een tae be seen
He shoved his heid thro' the curtain an' shoutit for Jean

Wi' twa in the closet there wisna much room
Aul jock wi' his drawers aff near ready tae swoon
I'm sick an' I'm tired o' a' this palaver
An' I've stuck that contraption for closin' ma spaver

Aul Jean she wis helpin' him a' that she could
An' aul Jockies language wis gettin gey rude
He hauled on his drawers, his stockin's, his sark
Closed the wee closet door wi' a hell o' a yark

He strides ower tae the mannie han's back a' the claes
It's the peerest bit cloot - I've seen a' ma days
The suit I've on is better an' warmer tae I'll sweir
For a' the weddin's in the land that suit I couldna' weer

Sine doon the street tae Falconers tae see aboot her goon
She hidna yet made up her min' - a black een or a broon
Jock silent noo - doon in the moo wi' indignation smastin
Says fut care I be'it blues' the sky or even Bumbee tartan

They baith arrived at Falconers an' aul Jock shook his heid
I'm nae gaun in tae sic a place - Aul Jean began tae plead
I helped ye try tae get a suit - ye maist ungrateful deil
I niver thocht that ye'd turn oot a nesty thrawn cheil

Bit Jock he widna budge an inch, says he "I'll bide oot here"
An' I'll be fair delighted wi' fut ye buy tae weer
He steed an oor or maybe twa he'd lost a sence o' time
Aul Jean cam breengin fae the shop jist like a teenage quine

I've got an afa bonny frock ma colour tae it's broon
Ye canna say that I've been lang - aul Jock jist lookit doon
Gey near a hunner crackit spunks he spied far he hid steed
He'd smokit near an unce o' twist - Nae Verra Lang indeed!

New Eer '73

The aul eers awa - a new een begun
I'm rale disappintit at a' that I've done
For fan I think back I've deen naethin ava'
I some doot yours truly is jist a big blaw

So ma New Eeer resolutions - ach I've said this afore
Is tae try an' dee better than the eer gone before
Bit this eer gin I tak' a grip o' yir han
Atween us I micht be a far better man

Our Guid Neighbour - Mrs Ross

Ye'd been a swack an' sprightly quine
Fan Keith an' you cam' here
I'll swear ye niver thocht ye'd bide
For five an' forty eer

Ye wisna lang ere ye got startit
The cradle for tae fill
An' they jist aye keepit comin'
Ye wis niver on the pill

Ye hid Nanny, Keith an' Violet
Twins an' a single een
Sine Iris, Olive, Helen, Bob
Ye thocht that ye were deen

Bit na ye yokit eence again
By jingo - ye were keen
An' jist tae feenish aff the family
Alang cam' wee Maureen

Weel weel they're a grown up noo
An' happy ye must feel
Tae see them an' their ain bairns
A' getting on sae weel

Like me ye've hain yer ups an' doons
An' oots an ins an' a'
Bit ye jist aye kept trauchlin' on
Thro' simmer suns an' sna

You an' me are gey near ages
An' as far as I remember
I'll be 71 in August
An' ye'll be 71 in September

We're nae sae swacks we eest tae be
Nae fit for a romp thro' the heather
You wi' yer nesty gammy leg
An' me wi' a plastic blether

You've seen a lot o' changes
Since first ye settled here
Fowk maun be getting quaiter noo
For there nae sae muckle steer

Div ye min fan lots o' loons an' quines
A' roon the Cross Roads played
Nae vandals then - jist happy bairns
Tho' some gey soons they made

So Mrs Ross ye hiv tae go
Tho' nae doot rale unwillin'
Bit dash't yer afa lucky tae
Ye've aye got Charlie Gillian

Charlie he's been here for eers
Your hoose his permanent camp
The miles he's walked on Tollohill
Nae winner he gets cramp

He's been an affa help tae you
An' there's ae thing I winna like
I'll miss his polished baldy heid
Fan I look ower the dyke

Div ye min fan Jimmy Smert got foo
An' sat greetin' for his teddy
Ye ruggit aff his breeks an' sark
An' put him tae his beddie

Div ye min yon dumplin that ye made
The ingredients rich an' creamy
It endit up wi' you an Charlie
Playin' fitba on the greenie

We wish ye a' the verra best
Ach - ye're nae gaun far awa
Some day ye'll tak it in yer heid
An' come ower an' see us a'

Bryan Milne's Tie

Enclosed please find ye're bonny tie
It disna suit ma kilt
It wid come in afa handy
If ye brak yer cars fan belt

So here's tae Bryan an' tae Anne
May wir friendship nivir die
Bit Bryan laddie try an' min -
Tak' hame yer bloomin' TIE.

Lawrence

(From Haremoss killed on ice in his lorry.)

Ye little thocht that mornin
As ye dreeve yer larry doon
That ye'd meet a dreedfu fate
Ere ye hid passed thro' Scone

Ye'd been thinkin o' the Budget
Will I be better aff or worse?
Or liklier still, ye'd winnert gin
Ye'd buy anither horse

Or fan the summer shows cam roon
Ye'd hae yer "shelt" sae braw
That ye wid lead yer winner
Intae the champions' sta'

The bairns ye kent will miss ye
A lot mair than I can tell
Nae mair hurls up tae the shoppie
For sweeties crisps an' ale

I'm sure yer in a better place
Awa fae engines soons
Wi clean fresh air ye'll smell nae mair
The stinkin diesel fumes

Ye hid yer faults the same as me
Yer guid pints they were plain tae see
An mony they will mourn their loss
Bit neen sae much as at Haremoss

Rachel

Ye've landed in an afa world
Wi' fechtin din an' strife
A nesty place tae mak' a start
Tae yer brand new wey o' life

I'm nae richt sure yet, fae yer like
Bit I think yer like yer Mummy
An' yer Grannies an' yer Grandas
Think yer jist a perfect Honey.

New Money

In a month or twas' time wir cash will be changed
New pence is the wird ye will hear
It'll be a gey scutter aye tryin tae min
Foo mony new pence for a beer

Ae' Setterday lately the guid wife an' me
Spent a hale efterneen at the new L.S.D
An me bein auld an ma brain unco slow
Ma performance wis rated at maist afa low

We arrived at the office at 2 on the dot
A cheil led the wey an that helpit a lot
For the size o' the place an the length o' the stairs
Hid a billie like me nearly sayin ma prayers

However we cam tae the conference room
An there, near han twenty, were a sittin roon
Their ain little desks like some bairns at the squeel
Exausted -I wis gled tae sit doon on ma steel

Wir teacher, a lad Sandy Duguid by name
He said a few wirds an we startit the game
At first glance I thocht I'd never get yokit
There's nae room for mistakes on a Post Office Docket

There wis some pechs an groans an clawin o' heids
In fac I saw ae lady countin her beads
For masel I wis sorry I ever left hame
I wis sure I wid never get startit the game

Sandy Duguid announced "Noo dinna be shy"
Gin ye canna get startit jist gey me a cry
An I'll come an help ye as much as I can
It didna tak me lang tae haud up ma han

So Sandy cam ower an gaed me advice
An fan eence I saw thro'it I wis aff in a trice
Sine a deemie cam ower an helped me as weel
It jist mind me fan I wis a loon at the squeel

The Garage Lads

There's Walter Watson - he's the boss
An' fegs he's niver at a loss
At seein' fau'ts foo'ever sma'
Ye canna diddle him ava

The charge han', Leslie Bonar
He tells me afa lees
An' the photies that he shows me
Mak's me tremble at the knees

There's Dougie Smart the gaelic man
At singing he's first class
I niver understn' one ward
Bit maybe, am an ass

Noo Jimmy Davidson is a cheil
Files bothered wi' his win'
He scoors on like the verra Neil
In case he fa's ahin

Wir ither lad is Willie Shaw
An' dash't I niver heard him bla'
He works awa an' gets things deen
He's best fan he's jist left aleen

Hi mate wi' fuskers on his face
Fit can I say o' him
He tries like hell tae stan' the pace
An' fegs I think he'll maybe win

Auld Jimmy Melvin in the store
Ye hardly see him fae the door
Only his heid an' furrowed brow
Jist sittin' hopin' for a row

Doug Fraser is the chaffeur
Wi' fine blue suit an' cap
Fine an' swack he is nae loafer
Jist a fine obliging chap

I widna like his job ava
At beck and call tae big an' sma'
Bit fegs he disna seem to mind
The job it suits Duggie fine

There's an auld decrepit girnin' chiel
He gaes the fancy cars a sweel
An' maks the tay an' swipes the fleer
His name I winna mention here

The Haircut

I spots a strippit barbers pole, I wis nervous kine awyte
As seens I steppit thro' the door, I wis met bi a chiel in fite
He taks ma bonnet an' ma coat, sine offers me a cheir
An' telt me fut he wis tae dee, I got nae chance tae speir

The price or ony idder thing, the mannie he got yokit
Little did the peer sowel ken, I'd jist sax bob in ma pocket
The mannie looked me up an' doon, he'd seen that I wis shy
Say's he noo sir, jist you sit doon, yer hair's most afa dry

He birsed ma heid intae a sink, sine skitet on shampoo
Sine shoved it in a ruskey, an' on it het win' blew
So back again on tae the cheir, he draped me wi' a sheet
He yokit wi' the cropper, an' man it wis a treat

I niver fan him gae ae tit, an' fut a chiel tae news
I wid hae like't jist tae sit , an' hear the mannie news
He fulls his han' wi' ily stuff, an' rubbit it in - it wis gran'
Say's he noo, I think that's enough, excep' I hiv a plan

Ye shed yer hair the wrang wey roon, ye see ye hive a double croon
So noo we'el sheddit like a quine, I'm certain that ye'll like it fine
I didna argue wi' the cheil, he seemed tae ken his wark
So he fixed anither bottle, an' gaed ma heid a clart

Sine intil't wi' a brush an cam', bi God ma scalp wis sair
Wi' razor sine he tidied up, ma side wings o' lang hair
Noo he tak's oot a brushie, an' swipes me up an' doon
Sine writes doon on a ticket - I thinks a'll be half a croon

Bit guid be here I got a shock, ma hert began tae throb
He'd written on the tickit, as sure as daith's - fower bob
If coorse I hid tae pey the fowk, bit that left me wi' twa
So I travelled richt up King Street, tae watch them play fitba'

Ode to a Princess

A Princess for me, a Princess for me
If you've got nae Princess, you're nae use tae me
A Mercedes is fine an' a Rover is braw
Bit the bonnie wee Princess is the Queen o' them a'

There's a fine spankin' Daimler wi' a bonnie green skin
Her chrome bit's a' shinin', she's nae made o' tin
Bit there's something aboot her, that mak's me confess
I'd raither hae - a fine wee, Austin Princess.

Cheerio Ally & Babs from the Crossroads Craturs

Ye've baith been richt guid neebours, ready aye tae len' a han'
Wi' twa richt nice wee dochters - Wendy and Diane
Noo Ally niver bade a meenit still, in his heid he'd aye a plan
Babs files thocht she hid merriet - a great Bionic man
He reeve doon wa's an' windaes, howkit up the fleers o' steen
Gin he'd bidden muckle langer, guid kens fut he micht hae deen

First ava there's Jimmy Smart, a quate kine o' cheil
Bit eence he's hid a twa three nips, he blethers like the deil
Fut can I say o' Charlie Gillan, wi' his bonny heid o' skin
He's won sae muckle on the horses, the bookies winna lat him in
The langest residenter, of coorse she's Mrs Ross
She's been as lang at the Crossroads, that she's bound tae be the boss

An' sittin' in the verra neuk, there's the fowkies at the shop
The aul man's gaun deen a doot - bit his wife she'll niver stop
An' sine there's Smiddy Bibby, an' his wife an' bairnies two
Quate fowk - excep' fan Mike decides - tae play yon bloody tooteroo
There's the twa young Grants fae Sunnyside, richt fine fowk tae bide aside
There's jist the twa o' them ye see, bit I heard there's shortly tae be three

Across the road there is the Rattray's - Willie ,Lena, George an' Sandy
Gran fowk tae ken, for Lena, at ony job is handy
The auldest een amang us a' - will miss noo ye're gaun awa
Like me she's growin aul an' deen, bit Mrs Abernethy's aye rale keen
An' up the road there's Jim an' Jenny - wi' there quinie a' her leen
I ken nae foo they stoppit afore they hid anither een

Fred cas' the tractor ,mulks the coo, he niver leaves his home
Bit Lord he raikit for a wife - Agnes comes fae Foggieloan
So that's the fowk yer'e leavin freens, a gey assortit crew
Bit we a feel a bittie sorry, tae bid ye a' adieu
We hope ye'll be pleased wi' yer hoose, nae doot Ally he'll be startin'
Tae turn the hale place upside doon, sine pentit Bumlie Tartan

A wird aboot a special pal, withoot Wendy I'll feel lost
The ither nicht she telt me, I wis like the Holy Ghost
Nae mair I'll hear her jungle call - like Tarzan up a tree
Nor see her happy smilin' face - aye she's been a pal tae me
Weel, Weel yere nae gaun far awa - It's jist tae Cammachmore
For you the Crossroads craturs, will aye hae an' open door

Choices

There's ower muckle choice for the fowk o' the day
It's nae fut ye'll get, bit fut will ye hae?
I min fan a loon, comin' hame fae the squeel
I jist hid twa choices - tatties or meal
If ye widna tak that, then ye hid tae tak' wint
So the notion o' choosin', ye verra seen tint

Wir new generation - I'm sorry tae say
Can noo tak their pick, atween coffee an' tay
Fan it comes tae their denner, their brakfast or tea
The choice o' the menu, jist flabbergasts me
The hale o' the nation, is ower ill tae please
We're aye ready tae girn, gin the supper be cheese

Fit can we expec', o' the loons an' the quines
A' they hear fae their aul fowk, is grumlin' an' whines
About siller or taxes - repairs tae the car
Or the price o' a nip, in a new fangled bar
We'll hae tae dee something, afore it's ower late
An we'll a' hae tae learn - tae ait futs on the plate

The Penter

Hiv ever ye noticed foo ye get a great thrill
Jist daein soom jobbie that needs a gran' skill
I wis watchin' ae day a penter I ken
On the ribs o' a lorry wis writin' a name

Ilka stroke o' his brushie gard a letter appear
Be'it booed like an S or a U
An helpin' his han tae keep tae the plan
His tongue took a keek fae his moo

His heid it kept cockin' fae this side tae that
Sine he slid back an' fore on the steel far he sat
An' puffin' his pipe an' hummin' a tune
Shoved up his glesses, an' looked up an' doon

The name wis sae perfect, there wisna a flaw
So I thocht tae masel as I turned for awa
Gin we a did wir best - did a'thing jist richt
We'd feel a lot better gaun hame ilka nicht,

Motor Cars

The afa soons o' motor cars
That niver seems tae halt
Brings back tae me a longin
For a giggie an' a shalt

I brawly min fan I wis young
Fan motor cars were fowe
We yoke the shaltie in the gig
For a rinnie roon the howe

Nae steamin windaes blocked yer view
Nae rummlin soons nor smell
Nae watchin oot at cruckit neuks
In case yer ca'd tae hell

Nae tortered een wi' glarin sun
Nae sittin peerin oot
For gin the day wis unco bricht
Ye'd turn doon yer bonnet snoot

Ye'd plenty time tae see the sichts
Ye're neighbours faults ye'd view
Ye cud tell at eence that Mossie
Hid bocht a new blue coo

Or fae his rucks ye'd see a lowe
Ye'd say "Woah Lass" tae Kate
Sine tae the wife ye'd nod an say
"I kent his rucks wis het"

Nae stops tae mak for petrol
Nor battries short o' amps
Nae yarkin foo yer pooches
Wi rowes o' Green Shield stamps

The shalties bobbin hurdies
An the clip clap o' her feet
Twa's like shoudin in a cradle
Like some bairn - ye fair wid sleep

It's noo a sign o' status
Gin ye own a car sae big
Bit ye hid tae be biordinar peer
Gin ye hid nae shalt nor gig

Nae doot they were the good old days
Tho' lots wi me wid differ
Awa wi engines birrin soons
Gae me a shalties nicher.

Puddle in a Peel

Tho' bairns hae a hunner toys
Expensive tae as weel
They'll cast the hale ging bang aside
Tae puddle in a peel

Nae metter tho' the peel be fu'
O' goor fae washin' tubs
They'll tramp her up an' doon wi' joy
Tae get her intae dubs

I min fan I wis jist a loon
An' gaen tae the squeel
Foo wi' rolled wir breeks up ower wir knees
An' puddled in a peel

At that time we'd nae wellie beets
Maist aften neen ava
Excep' fan frosty mornin's cam'
An' sna begood tae fa'

At the gate o' een o' Watteries parks
Far cairts wi' iron wheels
Hid howkit oot a clorty rut
An' turned them intae peels

There easy wis a fit o' dubs
An' fool kine on the claes
Bit fut a great sensation
Squelchin dubs thro' a' yer taes

Wi' didna puddle ilka rut
Na na we wir na feel
We keepit een tae clean wir feet
Sine roadit for the squeel

Tho' bairns hae a hunner toys
Expensive tae as weel
They'll cast the hale ging bang aside
An' puddle in a peel.

The Trapper

We're sorry tae hear the Trapper's awa
Tho' some will be pleased - the rabbit an' craw
For he kept doon the vermin as roon he did rove
He'll be missed I can tell ye fae Kincausie tae Cove

He niver wis sweir, aye up wi' the lark
An' I've seen him oot huntin' fan it wis near dark
He missed verra little fan he raised his gun
He could nip them fan fleein' or doon on the grun

Aul Jim he wis hardy, a richt oot door cheil
As he trampit wi' his fite Snowy dog at his heel
Or dabbin' in worms tae pizen the moles
Poukin' in his sharp stickie tae trace oot the holes

He wis aye oot for foxes ten shillin's a tail
He liket a roup tae buy or tae sell
He'd jiner or mason, grow cabbage or kale
An' tatties a "dizen" he said, fulled a pail

He wis afa obligin' aye willin' tae help
A job tae be deen he got yokit intil't
He'll be missed I can tell ye by mony an' een
Bit of coorse tho' he's aul he's nae nearly deen

I've nae doot ye files a birdie did nab
Fae this Laird or that Laird, bit ye niver lat dab
Am sure ye were worth Ilka perk that ye took
Keepin' wids clear o' weasles an' foxes an' rook

An' fan gaun doon the road a pheasant ye spy
Dinna rax for yer gun an' smartly lat fly
For Jimmy ma loon yer a trapper nae mair
Bit we micht lat ye aff wi' a rabbit or hare

The D & G Party

Thatcher, Tebbit, Heseltone,
Healy an' Michael Foote
David an' me hiv decided
Tae kick the hale lot oot

And replace them wi' oor government

Postman Pat an' Poorly Pig
Rupert an' Billygoat Gruff
Their policy - Fun an' Happiness
Tae us twa - That's enough.

The Flu

The wife an' me hiv hid the flu
I hope tae guid it misses you
For Lord I thocht we baith wid dee
It's put ten eer on her an' me

Last Thursday wis the first attack
Caul shivers rinni'n up wir back
My nose jist dreepin' like a tap
The wifes throat dry - devoid o' sap

We baith gaed tae wir beds at sax
Fut Heaven - Tae lie an' sair legs rax
Five meenits I wis on the rack
For far cud I lay doon ma back

Ma back an ribs they kept on dirlin'
The wife peer sowel her heid wis whirlin'
I sneezed an' she begood tae hoast
We felt like gaen up the ghost

At twal o' clock I hid tae rise
Tae mak some tay - I thocht it wise
So doon the stair ma aul legs twitchin'
I stummered ben intae the kitchen

I niver min on bein' sae caul
As ower the sink I steed twa faul
Like some aul grubber needin' iled
Wytin till the kettle biled

Twa digestives an' twa cups o' tea
I crawled back tae the mortuary
The wife sat up as fites a sheet
An' thankit me for sic a treat

Weel efter hoastin' a' the nicht
Mornin cam'- an wee't daylicht
I've seen fowk wi' a fevver
Bit neen sae bad as me an' mither

Next day we crawled aboot like ghosts
Speakin fyowe wirds atween wir hoasts
At denner time - a suppie bree
The wife hid fair gaen aff the tea

We thocht that nicht wid niver come
I tried toddy made wi' jelps o' rum
An' fusky tae - an' Benolin
Wi' wattery een we baith were blu'

I'm jist a bairn fan I'm nae weel
A nesty thrawn bubbly cheil
Askits, Asprins, Beechams - peels
I'll swalley neen o' yon fite deils

For fegs I think they mak ye war'
They're better lockit in a drawer
They jist upset yer aipple cairt
An' files play havoc wi' yer hert

I'm better noo I'm pleased tae say
The wifes still feelin' gey pey - wey
Come time nae doot well baith be richt
Tho' she'd tae bide at hame the nicht

So friens bide hine oot ower fae me
For aff me germs could easy flee
An' lan' on you an' gae ye flu
Wi' that - I'll say "Guid Nicht tae you."

Missing Bonnet

I niver thocht I'd write a sonnet
About my cousins missin' bonnet
Bit weel I ken ye'd miss yer cap
That's foo I've rushed tae send it back

The Wyness's are nae guid tae beat
Especially fan there's things tae eat
For fan they leave, the tables bare
It's a mercy that their visit's rare

I hope that ye got safely hame
Without yer bonnet, fut a shame
Bit noo I'm sure ye'll happy be
Tae hae a thochtfu' cousin like me

Ma First Troot

The watter wis ripplin' as I keist in my line
A bit tow an' a worm on a preen
As the 'oors slippit by nae a fish did I spy
O' troots, oor burn maun be teem

However I'd jist wyte a meenit or twa
Wi' a jerk ma line startit tae draw
It maun be a whale - ma verra first troot
I'd need a' ma strength or I get him oot

Fut a story I'd hae for the loons at the squeel
As roon ma clenched knive, ma tow I did reel
I brocht him in closer - och, there's something far wrang
For the troot that I saw wis jist fower inches lang

I wisna sair pleased wi' the size o' ma catch
For fegs he wis most afa sma
Bit I took tae ma heels up thro' the neep dreels
Tae show ma braw troot tae ma' ma

Ma mither stopped bakin' an' patted ma heid
She wis afa fine pleased I could see
Gin ye gaun an' sit doon an' be a guid loon
I'll fry yer fine fish for yer tea

Noo oor muckle tam cat, half asleep on the mat
Ma troot he hid spied wi' ae ee
Thinks he till himsel, fut an afa fine smell
I maun hae that fish for my tea

My troot I'd laid doon on the caul kitchie fleer
Aul Tam watchin' tho' I didna ken
Sine ripplin' his fur an' startin' tae purr
He silently edged himsel' ben

He grabbit the troot an' quickly wis oot
I chased him, bit he wis sae swack
I pussed an' pussed an' cried oot his name
Bit aul Tam he widna come back

I gaed back tae ma mither an' startit tae greet
She says ach man, its naething tae loose
For yer supper I'll gae ye a far greater treet
A great muckle bowl fu' o' brose.

Oor Shoppie

We've Epsom salts tae gaur ye rin
An' toilet rolls baith thick an' thin
An' fancy powder for yer skin
We've athing in wir shoppie o

We've potted heid an' rhubarb jam
An' wiven stockins for yer man
An' corned beef an' chappit ham
An' drawers tae fit yer granny o

We've Persil, Omo, Fairy Snow
Self Raisin floor tae mak yer dough
An' sugar, cocoa,'safety preens
An' bonny bibs for sliverin' weens

We've teethpaste, caster ile, an' cheese
Tapioca an' split peas
An' stuff for rubbin' housemaids knees
Or dab yer chest fan ye've a wheeze

We've tattie crisps an' ginger ale
An' sprayin stuff tae kill the smell
Fan ye are cookin neeps or kale
Or washin' hippins in a pail

We've stuff for rubbin' baldy heids
Brings oot a crap o' hair
An' stuff tae rub yer oxters wi'
Tae keep them fine an' bare

We've vaseline an' turpentine
Hard biscuits, ginger snaps
We gae awa the heels o' loaf
They're fine for makin' saps

There's naethin that we hinna got
A basin, flagon, pail or pot
An' bowls o' every shape or size
An' fegs we still sell "dolly dyes"

Ma better half's Postmistress
An' I think I jist should mention
Should you auld fowk come ower tae us
We'll pey yer aul age pension

So dinna chauve thro' Woolies
Lat the supermarkets be
Jist come tae Banchory - Devenick
Ye'll get a'thing there PLUS ME

The Nicht Afore the Mull

The fairmer o' the present day
He leads a safter life
An' wi' the fairm hoose up tae date
The same goes for the wife

Say fifty - sixty eer ago
Ye'll say that life wis dull
Bit nae for maist o' fermers wives
The nicht afore the mull

The mull aye cam the nicht afore
Richt levelled - iled an' set
An' fegs it wis an afa hash
Tae get ready a' the mait

The kitchie deem wis busy
Parin tatties fae a scull
She gey near knot the full o't
For the billies at the mull

The wife hersel wis bakin' scones
She'd need twa dizen roons
She hid ae ee' on the girdle
An' the ither on us loons

The muckie pot wis hotterin
On the binkie by the fire
Wi' tattie soup at ilka ferm
Did the mullmen niver tire?

The kitchie deem laid doon her knife
The scull o' tatties teem
She couped them in the muckle pot
Mang cloods o' sauty steam

The wife got feenished bakin'
The girdle she'd laid by
The mullmen they got throwe an a'
An' were in by for a fly

They a' sat roon the table
A rale thankfu for a seat
An' I niver will forget the scent
O' mullmen's claes an' peat

It wisna an unpleasant smell
Ilka mullman hid the same
An' ily - brookie - fragrant stink
I quidna gee't a name

'Twas wearin on for ten o' clock
They newsed an' drank their tay
'Twas maistly aboot corn an' rucks
An' soos o' barley strae

The mull lads hid a sleepin' hut
A big square box on wheels
'Twas fu' o' belts an' tins o' ile
Twa beds tae sleep the cheils

They didna scutter washin'
Ach - they werna verra fool
They gid the face an' han's a dicht
Wi' an orra strippit tool

The mull lads they gaed tae their hut
An' I heard the fermer say
Weel Jeannie lass I hope the morn
Will be a fine dry day.

The Cost

We seldom stop tae coont the cost
O' Bingo, bets, or booze
Wir wordly welth we think we've lost
On a bairn's sark or shoes

We seldom stop tae coont the cost
O' petrol - motor cars
We grudge wirsels three slice o' toast
Or the wife a pair o' drawers

We seldom stop tae coont the cost
O' a holiday in Spain
Tho' skinned - tae neighbors ye can boast
Fan ye come hame again

We seldom stop tae coont the cost
O' eesless time we spen'
Wir sense o' values fairly lost
Guid Lord - gaes't back again

Christmas Week

This is the week that yer Bairnie wis born
A gey sober cratur his goonie a' torn
Bit foo fowk rejoiced fan they saw the bright star
An' a' cam' tae see him, fae near an' fae far

We girn ilka day 'boot wir standard o' life
Tho' ye gaed us yer warld they're aye wid be strife
We keep grabbin' for mair an naething will please us
Yet few o's were born in a stable like Jesus

So thank you for a' the kind wishes I've got
Fae the wife an' the family, I aye get a lot
I've aye been gey grippy at stanin' ma han'
Change me Lord if ye please, tae a generous man.

Ma First Dance

I set aff for the dance thinkin I'm a gey cheil
We nae village hall, we jist danced in the squeel
Ma fiftie bob suitie wi the troosers fine creased
A bricht reid pullover, ma hair a weel greased

I hid clortit ma face wi stuff for the skin
Tae hap up the pleuks, an the down on ma chin
An' aye a kept thinkin', will I manage tae dance
As I made for the door, I felt in a trance

I han't ower ma siller, I min nae the cost
Got a stamp on ma han', jist in case I got lost
I could hear the band playin', a jig or a reel
I creepit inside, an' sat doon on a steel

I sat for an oor, enchantit nae doot
I wis afa teen up, wi' the cheil on the flute
The fiddler wis sweatin' wi ca'in his bow
An' the lad on the drum, made a terrible row

The corneters' face as reid as a beetroot
I thocht he wis tryin' tae bla it stracht oot
As time slipped by, a lassie came ower
Sat doon next tae me, I gaed her a glower

Ma glowerin' seen stoppit, thinks I, here's ma chance
The lassie she curtsied, an' asked me tae dance
I felt most afa shy, an' ma face turned reid
As her saft han touched mine, ma legs felt like lead

In ma oxter I took the winsome young lass
An' gripped her ticht till ma spasm hid passed
For tae tell ye the truth, ma min hid gaen blank
Jist tae haud her, I'd pey a' the gowd in the bank

The dance wis a waltz, the band playin' saft
I hottert an' hiteret, an' lookin richt saft
Bit one two three - one two three, the lassie kept sayin'
I heard nae the tune that the band kept on playin'

Eence or twice roon the squeel, an ma confidence grew
I'd neer said a wird tae the lass up tae noo
Bit she kept on countin' an ma feet keepit time
At lang length says she - ye're deein' jist fine

I opened ma moo, bit nae soon cam oot
Ma tongue felt as dry as the sole o' yer boot
Bit we furled an' we furled, an' I startit tae sweat
Sine a said ma first wirds - "Isn't it most afa het"

The ice it wis broken, an' noo ma hopes raise
For I niver eence trampit. on my partners taes
For this I wis thankfu', her feet bein' sae sma'
Tae me she wis easy, the Queen o' them a'

The music it stoppit, foo I clappit ma hands
An' shoutit Encore, tae the lads in the band
Weel they yokit again, so did Mary an' me
I wis managin' noo, without one two three.

It stoppit ower seen, an' baith o's sat doon
The lassie she lookit me a' up an' doon
She fairly wis pleased wi' the sicht that she saw
I expec'it her jist tae rise up an' g'wa

Na fegs ye, she sat, it wis my turn tae stare
I niver hid seen a lassie sae fair
Ma hert gaed a loup, a beat it did miss
Sine I drew her close tae me, an' gaed her a kiss

I cared nae a docken for idder fowk's stares
As I kissed her again an' again
For the lassie had nae only learned me tae dance
She picked me - as the best o' the men

Thank You Granny

O Granny lass its me eence mair
Tae gie ma thanks to you
For knittin' sic a splendid pair
O sox o' finest 'oo'

I've heaps o' sox in my wee drawer
O' nylon cotton braw
Bit ye're the lass tae mak' the best
An' warmest o' them a'

I hope auld Jim and you are weel
Contented, happy twa
Jist sittin' at yer ain fireside
Withoot a care ava

Ye're telly she'll be on full blast
Auld Jimmy's een gey sair
He'll stickit oot richt till the end
Sine stotter up the stair

The piggie fulled a cup o' tay
Hard biscuit, an' a draw
Sine baith o' you will say guid nicht
I think we'll baith awa

So cuddle doon an' stick yer een
Baith cosy 'neath yer flocks
Sleep soon, an' fin new year comes roon
Send me - aye fine wool sox

Ower Muckle Rain

Last week ye mine I spiered for rain
It's here an' fullin' ilka drain
Wir walls an' burns will seen be fu'
The dam fair foo, tae ca' the mull

Bit Lord I pray ye draw the line
Jist send it doon rale canny kine
Keep doon the win', for howderin' shoors
Can scunner your ain flock for 'oors

The day - I'll nae say muckle mair
Bit thanks for listenin' tae ma prayer
An' thanks for fine warm woollen sheets
For ileskin coats an' Wellie Beets.

Timmer Forms

Weel freens foo are ye a' the nicht
I hope yer a' contentit
Jist sittin' tholing aches an' pains
Ye're rear ends a' gey dentit

The timmer forms are unco hard
Especially on the thin
The stoot eens they're nae quite sae bad
Wi' fat aneth their skin

On lookin thro' the hall I see
A few gey pained like faces
An weel I ken futs causin this
Yer gettin dottled kine in places

I see the teacher fae the squeel
Nae sair pleased wi' ma' elocution
Bit thro' her mind I hear her cry
My Kingdom for a cushion

Auld Dod Cruickie drives a lorry
Fu' o' coal an' sticks an' peat
I'll sweir he's wishin' noo
He'd brocht alang his larry seat

The minister an his wife are here
Baith lookin' unco grave
They're sittin' on their widden seat
Jist tholin't wi' the lave

The littlins dinna fin't sae bad
Bit they're as cutes' can be
I see a little quinnae
Comfy on her mither's knee

I see some fairmers here as weel
Wattie Simpson an' Bob Mann
Bob seems easier like nor Wattie
Cos he;s sittin' on his han'

The Laird o' Banchory Devenick's here
An' his guid wife as weel
They wid hae enjoyed the concert better
On a fine saft paddit steel

So freens that's fut this concert's for
An a' yer 3 bobs at the door
Will maybe get a safter cheir
For you the next time you come here.

The Cruickies Moose

This is the story o' a moose
That creepit intae Cruickie's hoose
An kickit up an afa steer
Put wife an bairns in afa fear

The little vratch crawled up the stair
And fun a hidey holey there
It niver lookit oot till nicht
Twas then it gaed them a' a fricht

First it scared the twa big loons
Peer Neil he stoppit sookin thooms
An Derek - For the love o' Pete
He chased it wi his fitba beet

Bit fadder he got oot the gun
He swore he'd mak the moosie run
Bit moosie wisna deef nor blin
An keepit poppin oot an in

The dreary oors o' nicht flew by
An neen o' them hid shut an eye
Fan father raised his gun - an pop
Peer moose atween the een he shot

Weel Weel they a got back tae bed
Noo that's the last o' him they said
Bit jist last nicht the moosies brither
Wis spottit by the wailin mither

She jist hid newly lyin doon
The moose ran ower the eiderdoon
She yelled an wakened up wee Barry
An cried tae fadder - "Dinna tarry"

Go get yer gun you hunter brave
Your wife an' sons you have to save
I'll go at once ma Bonnie quine
An Barry's lauchin a' the time

This moose wis smerter than his brither
An hade himsel withoot a quiver
An fadder on his tum did lie
The gun he grippit tae his eye

Tae Barry this wis one big laff
He hoped the gun wid nae gang aff
He'd like tae play the hale nicht lang
He'd even treat them tae a' sang

Bit efter maybe half an oor
Ower the fleer the moose did scoor
An fadder wi' a toppin shot
He felled the moosie on the spot

He's thinkin on a lang Safari
Complete wi air gun and a jarrie
Tae pop the little moosies in
He thinks it's handier than a tin

The twa he's baggit up tae noo
He's rowed them baith in cotton woo'
He thinks he'll maybe stuff the twa
An' mount them on the Kitchie Wa.

By An Admirer Of
Big Game Hunters.

Sweirness

O' a' the ills bestowed on man
Sweirness blakes' them a'
For fegs fan billies winna wirk
That is the hinmost straw

It's nae sae bad fan fowks' nae weel
Or craturs aul an' deen
They div deserve a filies rist
Afore they're called abeen

Bit able bodied virile carls
Tae lie an' loaf at hame
They find excuses by the score
There's aye some een tae blame

I'm sure we're growin' safter
Mair apt tae fin the caul
A cheil at five an' forty
Noo thinks that he's ower aul

We're maybe born wi' sweirness
It's maybe in wir bleed
Bit ae ken were growin' pampert
An' tae wark we pey nae heid

Bill Spence

Bill Spence he wis a bobbie
An since ever he cam here
Gin some een hid a problem
Twas tae him they gaed tae spier

If ye hid a bit o' bother
An wi forms cud nae mak sense
Some lad wid say - Ken fut tae dae
Gang up an see Bill Spence

A larry driver - nae his fault
Reeve doon some fermers fence
Fan he cam back he'd seen mak tracks
Aye - up tae see Bill Spence

If ye'd a heidache or felt squeemish
Or hid hertburn efter mince
He aye hid peels or pooders
In his pooches - Oor Bill Spence

He wis by far the best photographer
His photies aye were richt
I hope some een his a camera
Tae tak Bill Spence the nicht

A poet tae - I've read his rhymes
Een nearly hid me sobbin
He cud fair pit wirds the gither freens
A dammed sicht better than Scardogan

Noo Bill cud play the fiddle
Ach he's fiddled a' his life
Bit I some doot noo that he's retired
He'll play second fiddle, tae the wife

We hope ye will be happy
Fan fae Tawse ye tak yere leave
Ach ye'll maybe tak anither job
A baillie or a grieve

Futever Bill ye choose tae dae
We hope it gaes ye pleasure
It's great tae be an OAP
Wi bags o' time for leisure.

Weel Lord

Weel Lord ye kept me scant o' brains
It aften causes stress an strains
At solvin problems aft I'm tint
An files think I maun hae a wint

Ye couldna mak us a' the same
Ye gaed some brawn an ithers brain
The brainy eens got a' the luck
At figures they are niver stuck

This week I need a han' fae you
For fegs there's wrinkles on ma' broo'
Jist help me Lord an lat me see
The wey tae work this V.A.T.

We Mourn the Passin' o' a Man

Your honest man has passed awa'
An' fegs ye'll miss him sair
Bit pairtin' comes tae great an' sma'
Tho' the loss is hard tae bear

Ye hid a lang an' happy life
Aye close tae een an ither
He couldna gotten a better wife
Nor sic a lovin' mither

Geo Wyness wis an honest cheil
Fut faults he hid were sma
Noo he's the kine o' man' I feel
Should be an example tae us a'

At sodjerin' or fermin'
He did his verra best
Bit noo the Heid Man O' us A'
Has called him hame - To Rest

Nae doot the tears will dim ye're een
An' cause ye tae dispair
Bit he'll welcome ye wi' open airms
Fan ye are called up There.

Roupin Oot

Auld Sandy hid fermed for fifty odd eer
At a fine sheltered plaicie close by Fetternear
He'd jist forty acre a' nonsence ower sma'
Noo the laird hid sent wird - he wis takin't awa

Sandy read the laird's note wi' tears in his een
Laid doon his glesses says saftly tae Jean
We'll hae tae roup oot, there's nae mair we can dae
It's a sorry day lassie, for you an' for me

Sandy wrocht hard an' sweatit fae daylicht tae dark
Got a' his bit thingies rawed oot in a park
The best o' his tools got a guid lick o' pent
He fell in wi' some boxies he thocht he hid tint

The roup day it cam' wi' a fine blink o' sun
As he steered his brose caup, Aul Sandy felt glum
A' the things him an' Jean hid chauved for - for eers
Wid seen bi knocked doon by a cheil on a cheir

A' the stuff fae the chaumer wis first tae be selt
Odd's an' ens a' in boxies, a muckle mull belt
Weir pulleys, trump picks, some staples an' nails
Rape yarn, a' thraw crook, an' a fower calfies pails

A guid flauchter spad, a roosty breem dog
Three pair o' horse sheen wi' holes for a cog
Brest straps an' bridles an' brushes an' kaims
Bonny clear back chines, an' lang piket haims

There wis lots o guid harness, some ribbons an' segs
An' boxies o' intement for rubbin' horse legs
The hale lot wis selt - richt aul things were dear
For a great lot o' mannies buyin' aul things wis here

'Twas the turn o' the horse - a black an' broon meir
Aul Sandy - fae's ee' he dichtit a tear
The broon meir cad Bessie - seddle backit an' deen
Her feet unco het - she hidna on sheen

The black meir some younger an' lookin richt weel
Brocht up on a bottle - her midder gaed eil
Sandy saw the cheil biddin' an' stared at him hard
He kent he bocht horse for a sooth knackers yard

Sandy stoppit the biddin an' cries oot "Na Na"
Fan I see far they're gaun I'll nae lat them awa
I'll keep them masel - a parkie I'll tak
So they're nae gaun awa fut ever they mak

Cam the turn o' the nowt - twal stots an' a coo
He'd hid her twal eer nae a teeth in er moo
The price he got for her made aul Sandy laff
For she cost him three poun' fan she wis a calf

The auctioneer an' his clerk got their tay an' a nip
Leavin' Sandy an' Jean an' the collie dog Gyp
The roup nae doot wis a howlin' success
The three o' them thocht they wid fair miss the place

Aul Sandy an' Jean crawled awa tae the bed
For a guid file they lay an' naethin wis said
Aul Jean turned tae Sandy an' gaed him a kiss
Says - as langs we're the gither we'll forget about this

They bigget a hoose in a spare gushet neuk
An' a new lease o' life the baith o' them took
The aul meirs in the parkie growin' shaggy an' fat
Gyp the aul collie dog streekit oot on the mat

The last time I met them they were oot in the car
I wis richt pleased tae see them an' speired foo' they waur
Div ye ken this says Jean we're baith afa fine
We're gettin a rist - an' nae ahin time.

Clean Thochts

Ye've gaen's shampoo tae clean wir heids
O dandruff nits an' orra seeds
That flee in oor polluted air
An' get entangled in wir hair

It's gran' tae hae a scalp sae clean
Ae glistenin' wi' a bonny sheen
It fairly gars ye look richt braw
The best an' cleanest o' them a'

Bit mair important fats inside
Fae yon wir thochts we canna hide
Ill thochts are jist as bad as deeds
Lord helps tae clean inside wir Heids

Peer Pressure

The hellish legions sally forth
Each nicht tae try for a' they're worth
Tae wreck an' brak' an' trample doon
An' mak' a soss o' oor braw toon

There's been suggestions by the score
Tae stop the vandals we abhor
Bit neen o' them hiv been worthwhile
An' we canna clap them a' in jile

Noo takin' ye jist een bi een
Ye're nae bad loons ava
It's fan ye jine up wi' a gang
It's then ye brak' the law

Pey nae heed tae the leader
O' yer ain particular gang
Mak up yer min this verra nicht
That his wey is a wrang

I'm askin' every mither
An' every father tae
Afore yer loons gang oot the nicht
Read them this verse fae me

My Bennachie

They've scaled the heights o' Eiger
The Alps, the Matterhorn
Bit Bennachie's the hill for me
Nae far, fae I wis born.

She disna too'er high in the sky
She's nae aye flecked wi' snaw
She's a coothy kindly hillock
Aye, the bonniest o' them a'.

She's easy climbed by young an' aul
An' fan ye reach the tap
A bonnier view you'll never get
Fae nae hill on the map.

Diseases

Its nae winner we've thrombosis
An idder like disease
The mait we ait is seldom fresh
Jist stracht fae the deep freeze

Noo fifty eer ago aye less
Fowk lived on fit they grew
An' they surely hid far better health
Than the likes o' me an' you

Nae flouride in the watter
That wis aye sae fresh an' caul
The day - some bowler hattit gent
Wid seen condemn yer wall

Cheerio Norman

This is the first time in ma life
I've this kine o' job tae dee
Bit bein een o ye're auldest freens
Is foo they pickit me

An Norman it's a pleasant job
As a postie ye were gran'
I niver heard ye girnin'
Aye a fine guid humoured man

I mind that ye eence telt me
Ye wid raither rin a mile
Afore ye'd fecht a meenit
I look back on't noo an' smile

For a' the eers ye cam in by
Nae a cross wird did we hae
So that's foo I'm afa happy
Tae perform this task the day

So Norman here's fae a' the fowk
Their appreciation for tae show
Till a topper o' a postie
We're a sad tae see ye go.

The Coffin Makers

Four jiners got wird o' a job in the toon
Makin' coffins for Gordon an' Watson
Bit I think they got scared, fan the fower o' them heard
They wore black ties an' muckle lum hats on

Alex Hay he's a fine lookin face for the job
Nae ower happy an' lookin' rale sad
Dod Horne at a funeral wid greet like a bairn
An' pit a' the mourners near mad

Jim Taylor wi' heid as black as a craw
I believe wis the best o' them a'
Bit on seein' a mummy, peer Jimmy feels funny
So his missus widna lat him awa'

An' Billy you wid think, had nerves made o' "Steele"
Bit the sicht o' a coffin made his verra bleed geel
So they're blamin' the wages, Ach! they're ower bloomin' sma'
Bit I'm blamin' the corpses, for flegin' them a'

Beasties an' Craturs

It gars me aye winner foo God made a flech
Or a forky - a beetle or loose
Bit ilka we cratur he gaed them a' breath
An' provided each een wi' a hoose

He cad them a beastie - we ca' them a pest
Did he mean us, tae tramp them a' doon?
Should they be allowed tae live like the rest
Maun we aye be callin' the tune

In the wee beasties world there's nae sae much strife
They dinna live lang eer, they dee
For the short time they hae it's a happier life
Nor for cratur's like you an' like me

Next time that a forky crawls into yer bath
Step ower him an' lat him gang free
In case that oor maker flees up in wrath
An' mak' something happen tae ye.

Learnin' Tae Ploo

This happened at the en' o' hairst the shaves a' in an' biggit
Fan the local Bobbies loon an' me for a run wi' girds got riggit
The twa o's barfit an' richt swack efter suppertime set aff
Wir twa girds clatterin' doon the road, ca'ad wi' fine roon staff

We scoored on maybe twa three mile, nae carin' far we'd lan'
Fan we cam upon a quarry yarkit foo o' silvery san'
We stoppit - Guid be here fut luck, a great place tae explore
Wir girds laid doon wir jersey's aff, sine throwe the san' wi' tore

We scrammelt thro' the lairdies wid - we were lookin' for a ploo
An' coupit ower a hunner sticks, tae get een wi' a boo
At last we fun een - stilts an a', the buirds a knarly reet
We trailed her tae wir sonny park, fine flattened wi' wir feet

Pitscurrie he'd been thackin' rucks and we could see nae herm
Tae nick a rope for a pair o' reins, tae tie on ilka airm
An' theets an a' tae rug the ploo, we nott a bittie mair
It wis tae be an ae horse ploo, we didna hae a pair

We took turn aboot at bein horse, an' foo the time flew by
The hairst meen King amang his stars shone doon fae's throne sae high
Weel wi' plooed wir park a dizen times, files stibbles - files clean lan'
Tho' sma' - the twa o's tried tae see, which wis the better han'

We niver thocht aboot the time, bit we were due a fricht
A billie on a wifies bike cam wavin' his gas licht
Div you twa ken fut time it is, ye've caused some howdy de doo
The bobby an a dizen men, are scoorin' wids for you

We'd nae time tae feenish enrigs nor lay by wir trusty ploo
We left wir rape yarn theets an' reins, an' ben the road we flew
Wir girds hid niver gaen sae fest - bit fut else cud we dee
Wis there ever twa mair frichtit geets, than the Bobbies loon an' me

The mannie on the wifies bike kept crankin' on ahin
Garts' flee afore his gas lamp glare, like caff afore the win
At last we reached the village shop, the Bobbie raised his haun tae stop
The twa o's pechin' - oot o' breath, wir fate - a gey bit waur nor death

The Bobbie took his littlans' han' an nae ae wird wis said
My aul man grabbed me by the lug, aff tae the hoose I'm led
The fowk that hid forgaithert there, ill fashioned dirt I trow
A' scushelt aff hame tae their beds, they'd expectit sic a row

I took ma skelpin' like a man, ma doup rale sair an' het
I'm packit aff in ower ma bed wi de'el a thing tae ait
The nicht wore by an' mornin' cam - mair trouble wis in store
Ma mither she comes ben an' says - "The Bobbies' at the door"

The Bobby took me by the han', nae angry wird - nor smile
An' keepin step the twa o's mairched up tae the dreedit jile
He opened up the heavy door, the sicht near gard me swoon
For sittin on the timmer bed wis the Bobby's little loon

I stepped inside the creepy cell, a fooshty hole - an' dark
The twa o's baith began tae greet, as the door closed wi' a yark
The cell it measured sax bi fower, the wa's cement an' caul
A sma' barred windae in the reef, lit in nae licht at all

There wis nae blanket on the bed an' we wir backsides bein' sair
We steed upon the caul steen fleer, an' at the skylicht stare
The Bobby's loon kept roarin', till his mither for a drink
We cud hear the water splashin', as she washed things in the sink

Weel weel she took nae notice, so wi' moo's an' throats sae dry
Wi' lay doon in ithers oxters - an' wished that we cud die
He lat us oot at fower o'clock, baith hungry, dry an' caul
I said naethin' tae the Bobby - bit said "Ta Ta" tae ma pal
It learned us twa a lesson, they shud dee the same the noo
Tae spen' a hale day in the jile - Jist for learnin' foo tae ploo.

Grabbin' for Mair

Fan I wis a loon an hid erran's tae get
I expecit nae thanks or reward
The present days bairns demands maun be met
Afore they'll een traivel a yard

There's naethin for naethin, It's aye fut aboot pay
Nae an offer o' help or gaen for free
There's nae hope for the loons an the quines of today
Copyin grabbers like you an like me

It's nae only 'mang men bit nations as weel
There's nae sic a wird noo as share
The warld's lost it's senses the fowk a' gaen feel
Wi nae thocht - bit aye Grabbin for Mair.

Aul Age

O, Lord I ken we maun grow aul
Fae youthfu' heat we seen turn caul
Some fowk it seems nee'r turn a hair
While ithers linger stiff an' sair

It gars me winner 'bout masel
For I've been lots o' times nae weel
I'm coordie fan it comes tae pain
Am thankfu' fan I'm weel again

Weel Lord fan I get far I'm due
Bee't guid or ill - it's up tae you
I ask ye please tae me be kind
An' leave me wi' a healthy mind

It's ill enough wi' crochly jints
Nae fit tae tie or lowse yer pints
Or in yer bed condemned tae lie
Tae watch the reef - in place o' sky

I winna care foo grim I grow
Tho' fint a hair sproots fae ma pow
Ma skin a' wrinkled blue an' mottled
Bit Lord, keep me fae being' dottled.

Fareweel to F Anderson

For mony eers I've washed yer car
An' kept her lookin braw
I niver thocht I'd see the day
That ye wid gang awa

Ye've been wi Tawse near a' yer life
An' changes ye hiv seen
I thocht ye micht hae bocht a ferm
Near han' tae Aiberdeen

Hooever ye are haudin' sooth
Tae try yer han at fermin
Fan craps are short an' fat stots chape
For Tawse's ye'll be yearnin

Ye aften were a sair torment
'Bout this an' that, aye speirin'
An' sometimes fan ye lost the heid
The air wis blue wi' sweirin'

We'll miss ye stottin roon the yard
Ye tholed nae hanky panky
I'm sure we meant nae disrespec'
Fan we said "Look here comes Frankie"

Ye'll hae tae tak yer jacket aff
Ferm servants they are fowe
Jist buy a pair o' Nicky Tams
Try a yokin o' the howe

Ye'll hae a baillie an' a grieve
Bit fegs ye'll hae tae learn
Gin yer needin a guid orraman
I'll be ready at the term

I niver saw ye keep up spite
At least ye gaeds a nod
Bit on a ferm the billie there
They'll nae treat you like God.

So notice foo ye treat them sir
At a' times aye be Frank
They'll help ye tae mak' sillar
Tae get yarkit in yer bank

Ye'll see it's me thats tellin' you
On foo tae rin yer ferm
The tables' fairly turned roon
I ken - ye've still tae learn!

I hope ye'll nae tak umbrage
At a humble sowel like me
Ye're jist gey aul tae sair ye're time
Ye'd been better o' a fee

So Sir we wish ye a success
I'm sure ye'll mak 'er go
Ye'll maybe rear a Shorthorn Bul'
Tae top the Heilan Show.

The Neerdae Weel

I'm maybe jist a scally wag
Bit glory be I'm free
Some tay an sugar in ma bag
Ma bed aneath a tree

I've got nae insurance number
I dinna draw the dole
I can lie a' day an slumber
In some shady leafy hole

Ye'll winner foo I'm fit tae live
Without the dole or job
I niver steal bit aften give
Payin' Peter - Paul I rob

I shy clear o muckle cities
Skyscrapers frichen me
Isn't it a thoosan pities
That ye're nae a free like me

I niver hurl in a bus
Nor wid I board a plane
Foo i'st that fowk hiv got tae rush
I get there jist the same

I widna pit on strippit breeks
Nor jackets o' mohair
An tho' ma coat it aften leaks
It's ten year aul an mair

Oh I wis eence as weel af's you
Fine things I could afford
An' fancy grub like steaks an stew
Thank God they're overboard

I ken I'm ca'd a neer dae weel
Bit fut ill hiv I deen
Compare me wi a business cheil
Which is the better een?

Someday they'll get me lyin' deid
Beneath some shady tree
Has God reserved some orra neuk
For scallywags like me

Quines Beets

Double Sandy wis ma squeel day pal, a loon that kent nae fear
An' baith comin' fae big faimlies, we were by ordinar peer
We sat the gither at the squeel, nane o's were verra clever
Bit fan some row or fecht got up, we fairly stuck the gither

Noo Sandy's fadder he wis fee't as baillie at a ferm
Far men could only stan' sax month yhey aye left at the term
The oors were lang the wark wis hard, the wages afa peer
Hoo did they manage tae exist on twenty poun' a 'eer

Sandy's breeks were nocht bit patches, peer loon he hid tae thole
For it maittered nae the colour as langs they covered up the hole.
He maistly aye gaed barfit, excep' in frost or sna
An' this leads me tae a story, for this happened tae us twa

By Sandy's standard we were rich, my dad wrocht on the line,
His pey gey near a poun' a week, a guid wage at that time.
Wi' fifteen o' a faimly, that's a lot o' hungry geets
There wis nithin' ever thrown awa', like jackets, sarks or beets.

Athing wis aye jist handed doon, ma mither shooed for oors
Ye hid tae weir't be ye quine or loon, jist tak it noo, "its yours".
This morning that I'm speakin o', Sandy appeared at squeel
Resplendent wi' his sister's beets, I'd on a pair as weel

Sandy's eens were afa fancy, festened wi' a button hook
Mine wis tied wi' great lang pints, they'd an afa quinie look.
Weel Sandy he cam' o'er tae me, his freckled face gey glum
We lookit at each ithers beets, an' kent there wid be some fun

Up tae noo they'd taen nae notice, wytin' for the bell tae ring
We creepit tae wir nerra desks, the mornin' hymn tae sing
Eleven o' clock fan playtime cam', we a went oot tae play
An' tho' some glowered an' giggled, nae a wrang wird did they say

It wis different tho' at denner time, for Sandy an' for me
We were herdit in a corner, ilka littl'en cam' tae see
Quines beets that the twa o's wore, foo they leuch an clap't their han's
Anaith wir braith we saftly swore, for we hid idder plans

We'd baith made up that we wid fecht, until we drappit doon
They were a' noo yellin' oot "Quines Beets!", as us twa they danced roon
An' ablich wi' a roosty heid - I think Dickie wis his name
He wis the leader o' their band, an' fut happened wis his blame

We were grippit closer tae the dyke, "Quines Beets" they yelled
Till Sandy wi' a vicious kick, the Dickie loon he felled
The pintet taes o's sister's beets, hid met wi' Dickie's shin
I plainly heard a brittle knack, an' thocht - "That's deen for him"

Weel Dickie's leg wis broken, sax inch ablow his knee
The big loons tried tae lift him up, the tears cam' tae his ee'
He wis taen up tae the doctors by a mannie wi' a gig
An' it took him twa three months or mair, ere he wis fit tae rig

I aften winner aboot Sandy - Single? Mairrit? Lots o' geets?
Does he like me cast back his mind, tae the day we wore Quines Beets.

I'm Fine

There's nothing whatever the matter with me
I'm just as healthy as can be
A bit o' Arthritis in both my knees
And when I talk, I talk with a wheeze
My pulse is weak and my blood is thin
But I'm awfully well for the state I am in

Arch supports I have for my feet
Or I would'nt be able to be on the street
Sleep is denied me, night after night
But every morning I find I'm alright
My memory's failing, my head's in a spin
But I'm awfully well for the state I am in

The moral is this, as the tale I unfold
That for me and for you who are growing old
It's better to say, I'm fine with a grin
Than let folks know the shape we are in

How do I know my youth is all spent?
Well - my "get up and go" has got up and went
But I really don't mind, when I think with a grin
Of all the places my "Got Up" has bin

Old age is golden I've heard it said
But sometimes I wonder as I get into bed
With my ears in a drawer, my teeth in a cup
My eyes on the table until I wake up
Eer sleep comes o'er me I say to myself
Is there anything else I could lay on the shelf

I get up each morning and dust off my "wits"
Pick up the paper and read the o'bits
If my name is still missing, I know I'm not dead
So I get a good breakfast and go back to bed

The Visitors

Lookin' oot o' the windae ae fine Friday nicht
The guid wife an' me got a terrible fricht
Twa heids bobbit oot o' an aul mini van
The wife in a faint - grippt on tae ma han'

Jim Davidson's fite heid wis first tae appear
As Jock backit oot I cud jist see his rear
Some hawkers I think the wife says tae me
As they made for the door wi' a glint in their ee

Weel the ill mainnert beggars nae a knock did they gie
Bit steppit stracht in - niver lookin' at me
Baith sat doon on a cheir like twa collie dogs
We were afa affrontit wi' yon pair o' rogues

We hid visitors in - aye richt decent fowk
Jock startit tae rift - oh me, fut a gowk
An' Davidson coupit his beer on the fleer
Nae winner oor visitors were lookin' gey queer

The wife she says "lads, ye'll bide for your tay"
I gaed her a look as much as tae say
Gin they bide here much longer, I gang aff ma heid
So I flew for twa glesses, an twa slice o' bried

Weel, I tel't ye that Davidson coupit his gless
Bit michty be here, Jock he made some mess
He crumbled his piece like a bairnie o' twa
Oh foo I wished they'ed baith gang awa

Jock Gordon wis scaffin' for spuds for his yard
Jim Davidson wis scroungin' for a drap o' the hard
Bit a that they got wis a half gless o' beer
Lat that be a lesson - ye're nae wintit here

The Wemmin o' the Legion

I'm pleased tae see sae mony fowk forgaithered here the nicht
Especially wi' the weather coorse, an' sillar unco ticht
It's five an twenty 'eer ma friens, richt tae the verra day
Since we put wir heids the gither, an' got stuck intae the fray

The weemin o' the Legion, aye there's some o's growin aul
Wir men peer sowels are at hame, jist feart tae face the caul
We've made a lot o' sillar, an' were gaen the lot awa'
Tae the fowk that maist deserve it, bit I winnna start tae blaw

Mrs Shirlaw she's the treasurer, she keeps the books aye richt
An' tho' Mrs Duncan bleathers on, her ideas are aye bricht
The wife that rins the raffles, wir aul friend Mrs Brand
They say she yabbles in her sleep, she beats the verra band

Bit Lord she mak's the siller, an' sells tickets by the score
Weel easy thole her grabbin', as langs she's makin' more
Vice chairman fut a fatty - bit Joyce she does her bit
She'll dance the reel o' Tulloch, if she jist gets one nip

Noo Bets the wifie in the chair, without her we'd be lost
She'd hae made a richt guid sodger, for she fair sticks tae her post
It's great tae think aul wives like us, hiv plodded on withoot a fuss
Tae try an' mak' a bob or twa, tae help ex sodgers great an' sma

Noo thirty 'eers a lang lang time, bit fegs I maun agree
An' lookin' back on things I mine, a tear comes tae ma ee'
Bit it's nae a nicht for greetin', hold on, ma nose I'll bla'
We've hid a splendid meetin' - an' thank ye een an a'.

I'll Niver Get Foo

A sparky fae Tarland gid aff on the spree
An' drunk sae much fusky that he couldna see
An' on his wey hame peer sowel he did trip
Fell aff o' the pavement an' bustit his lip

Fan he got tae his door he wis a gey sicht
His wife poor woman near fell ower wi' the fricht
The sparky his een rollin' roon in his heed
Cried please help me mam am afa near deed

She helpit him in nae a wird did she speer
As the bleed fae his moo made peels on the fleer
He gripped her han' sae pleased tae get hame
An' he tried his damnest tae whisper her name

Bit his moo bein sair an' him bein foo
His wife jist kept dichtin' the bleed fae his moo
Her man wis aye livin' she wis thankfu for that
Tho' she thocht till hersel fut a stupid aul bat

The twa loons cam ben tae witness the scene
They couldna help watchin' their dad's rollin' een
Een says tae the ither - "I'll tell ye this noo
Fan I'm aul like dad, I'll niver get foo".

The Shoppin' Trip

An aul country billie set aff wi' his wife
Tae help her some erran's tae buy
An he'll niver forget for the rest o' his life
The chauve tae get sausage or pie

A think we'll try Markies, the aul uman said
Says the aul man we'll niver get in
Bit wi' shovin' an borin' a roadie they rade
Thank God - that they baith were sae thin

Weel they got a weir basket sine aff on the hunt
The aul man trailin on hine ahin
He wis nearly cad ower, by a big hairy runt
That wis glowrin' close up at a tin

They were trailin' doon boxies, tae look at the price
Guid be here - twenty pence for a tart
Sine grabbin' cremola or tins o' hale rice
The aul man thocht he'd come tae the mart

He wis lookin richt sair for some place tae sit doon
Bit niver a rist did he get
Gin he stoppit a meenit he got birled roon an' roon
Like a rabbit in some poachers net

Noo tae mak matters waur, the aul wife he hid tint
He wis sweatin' an wintin' tae spue
He steed there fite faced near han' in a fint
Gaun forrit an back wi' the queue

At lang last he saw her as busy's a bee
So he birsed tae get close in aboot
Bit the body he thocht wis his wife wis a he
Fullin' up his basket wi' loot

By this time the aul man wis ready tae drap
His airms an his legs gettin sair
In some orra neuk he wis wintin' tae flap
Close his een or say a bit prayer

At lang last wi' luck he bumped in'till his wife
Her basket wis full tae the brim
'Twas the happiest meetin' in a' his hale life
He wis back wi' his ain kith an kin

Ye'd a tae line up yer goods tae pay
Ilka een hid his basket tae teem
Tae coont it a' up wid hae teen a hale day
Bit in that place they work a machine

We packit wir erran's inta baskets an' bags
An' pushed wir wey oot at the door
The aul man set fire till een o's fags
Sine doon Union Street we did bore

The aul wife she set aff at a hell o' a rate
By gorie she fairly can go
I rejoiced at the sicht o' wir ain gairden gate
Gin she asks me again, I'll say NO!

Elsie Craig

I've grown scunnert o' Scotland, I'm wintin' awa
I've pickit ma country, for me Canada
New scenery, new faces, new life I maun see
So hae a big welcome, a' ready for me

Oh mak' nae mistak' I'll be afa hamesick
I'll be greetin' for hame for mair nor a week
Bit I'm gaun tae triet, ye're only eence young
It's great fut ye'll dee wi' a guid Scottish tongue

I'll miss a ma friens baith grown ups an weans
Bit ma heids richt screwed on tho' still in ma teens
Youth his it's advantage compared wi' the aul
A young een's nae lang ere she meets a pal

So jist wish me Luck fan I'm on my way
I'll come back tae Scotland some fine sunny day
I'm nae een tae blaw bit I've nae fear ava
The Canadians are lucky tae get me - Ta Ta.

Ma Aul Airm Cheir

It's queer foo a'body will aften get tired
This happens tae rich an tae peer
Futs better I ask ye, than jist tae sit doon
An relax, in yer ain aul airm cheir

She's nae bonny tae look at, the stuffin sticks oot
The back an the seats hiv been sortit wi cloot
O' a' different colours it wid match Jacobs' Coat
An if offered for sale, jist a bob for the lot

Bit tae me she is priceless her - nae money could buy
The new fangled cheirs look a' richt tae the eye
Bit fa' cares for looks fan its comfort ye seek
An thats fut I get fae ma aul fashioned seat

On her boddom twa three cushions, black tartan an blue
The springs, or futs left o' them, a stickin thro'
The legs o'er booed, I files think they'll fa' aff
Nae winner at strangers, files tak a bit laff

She's been in the faimly since I wis a loon
An the number o' doups that on her hae sat doon
Man rin in tae thoosans an thoosans by noo
Nae winner she's wobbly, an beginnin tae boo

So fan I wear awa hing on tae ma cheir
Withoot 'er the hoose wid look most unco queer
Gin she's like tae brak doon jist gae her a fix
I'd be sorry gin she feenished up, as mornin sticks.

Nae Killin' Bit Savin'

It's nae aften ye see a horse in a park
An' it's 'eers since I heard the lilt o' a lark
Nae lang leggit foals kickin' heels in the air
The peezies pee weep, niver heard ony mair

The shy little pertrick is nae langer here
The pheasant an a', will seen disappear
Man's new fangled weys hiv driven them awa'
Seen a we'll be left wi', is the muckle black craw

It's nae change for the better I think ye'll agree
An' cruel an a' for the birdies tae dee
On science a doot we maun tichten the rein
Nae killin' bit savin'!, that's far we should aim.

Postie's Retiral

There's fowk fae Banchory - Devenick here
An' fowk fae Blairs as weel
An' ilka een I'll sweir will say
You've been a splendid cheil

You've been oor Postie noo for eers
You've brocht us joy ye've brocht us tears
You've cairtit parcels big an' sma'
Weel miss ye fan ye gang awa

We've seen ye pliterin' in the rain
Or chauvin' thro' the snaw
Yer vannie stuck on Tollohill
Or ditched at Patonslaw

Ye've cad a lot o' funny things
In your wee posties van
If the heid eens hid foun' oot, by jings
Ye'd hae got the sack my man

The thing that has endeared ye most
To us baith great & sma'
Wis foo ye aye could smile & lauch
Thro' a' the rain & sna

But Sandy man the po'ors that be
Have said ye maun retire
Ye're far ower swack & healthy like
Tae sit aboot the fire

So I suggest that ye should speir
At Jameston for a fee
Ye'll manage fine tae milk a coo
Or brew the fairmers tea

Ye've aye been afa willin'
To oblige us a' ye can
To cairry some sma erran
Or gees a hurl in yer van

Or gaung miles & miles oot o' yer road
To gae some auld wife her pension
Or phone the vet aboot a coo
Ach there's lots that I could mention

Depends on Nature

Yer hoose can be a mansion
Or a wee bit but an' ben
A yard o' great expansion
Or a strippie three bi ten

Ye can growe the maist exotic flooers'
Or a Canterbury bell
Ye can hire a chiel tae work for oors
Or pirl awa yersel

Ye can hae a muckle weedless lawn
On til't ye mauna ging
Or jist an orra mossy neuk
Far bairns can play an' swing

Ye can hae a bonnie clippit hedge
A beech or evergreen
Or growin at yer hoosies' gale
A buss o' fins or breem

It maiters nae fut side yer on
For be ye great or sma'
Aul natur we depend upon
Tae growe ae flooer - or twa'

Next time ye're in yer gairden frien
The little een - or big
It a depens' on him abeen
Foo ever much ye dig

Is It Greed?

Well that's anither week awa'
As yet ye hinna sent nae snaw
Bit faith the bonny blinks o' sun
Revives us craiturs on the grun'
Ye're warld she's in an' afa state
An' nae een can forsee wir fate
I winner foo ye dinna "Stop it"
Tell a' din raisin' men tae "Hop it"
If coorse we'd be a better nation
Gin we work oot wir ain salvation
For efter a' ye gaed us brains
We've biggit hooses, boats an' trains
Bit fut wey can we niver 'gree
Is't greed or jist stupidity?

Dance at Cookney Hall

I've niver been in Cookney Hall
Hold on tho' - that's a lee
I eence cam' till a dance up here
I think abody wis drunk bit me

The hale jing bang enjoyed themsels
It wis a splendid do
There wisna ony room tae dance
The place bein' packet foo

Ae chiel - He hid his bonnet on
An' in his pooch a bottle
He telt me that he couldna thole
A man that wis tee total

So him an me we baith sat doon
I think 'twas on the fleer
There wis sae mony bodies there
We couldna get a cheir

I canna mine far he wis fee't
An' am nae a chiel for speerin'
Bit afore I left I fairly kent
The wey tae raise a feerin

We plooed, an' dreel't, an' thackit rucks
We tailed an' heidit swedes
Redd roads richt roon a clean lan park
Fulled caff in chaumer beds

We easy twined three clooes o' rapes
An' yarkit clips forby
Bi this time his half bottle
Sookit absolutely dry

His speakin' wisna verra clear
He wis glazed aboot the een
He said he'd crawled in throwe a skylicht
Tae visit aul McAndrews deem

He telt me things I'll nae repeat
For that wid be a shame
He maybe hid a twa three bairns
Bit it wisna aye his blame

I helpit him up on till's feet
His legs were unco booe't
I'm sure he couldna see a thing
Anaith his bonnet snoot

The twa o's crawled awa ootside
An' man the nicht wis chill
An' tho' richt foo he wis girnin' noo
For jist anither gill

Weel Weel the wife fell in wi' me
If coorse I'd hid a skitey tee
She winnert far on earth I'd gaen
So I introduced her tae ma freen

If coorse I didna ken his name
An' he niver speired for mine
He said he hidna got a wife
Bit wis gaun wi' a quine

The dance wis gey near feenished noo
We bid wir new fun frien adieu
I saw twa roads so truth tae tell
The wife she hid tae drive hersel

Thochts

Thochts rinnin thro a'bodys mine
Some wicked maybe - some divine
An idders veiled wi lust or greed
They're a' as bad's the actual deed

A thocht can be a spur tae fame
Athocht can gar ye play the game
Or maybe drive ye a tae scutter
An land ye drookit in the gutter

If we cud spare a thocht or twa
For craturs yarkit 'ginst the wa'
An even tho it be their blame
They are wir brithers jist the same

It's deeds that coont b'et withoot thocht
Tae start us aff an get them wrocht
On guid things every thocht maun dweel
The thochts o' millions wid prevail.

The Horses

The fermer hidna got a wife, bit wis coortin' at the time
An' ilka Wednesday he set aff, tae see his bonny quine
Ae nicht he says tae me, noo Dod - I'll be late kine, so I think
Gae ye the horse a wisp o' hey, an' some water for a drink

Weel Weel I wis a sober loon, an' a heavy stable pail
Wis mair, nor I wis fit for, so I thinks, acht tae hell
I'll tak' the horse oot tae the troch they're twa fine quate meirs
I thocht that I wid manage fine, o' that I hid nae fears

I loosed the black meirs hilter, an' took it aff her heid
I left the broon meirs hilter on, 'twas her I wis tae lead
Up tae the troch I leads the meir, the black een followed suit
They took a drink an' fegs I think, they were fine pleased tae be oot

The black meir wannert fae the troch, an' her I wid tak' back
Sine wi' a fart they kicked their heels, an' galloped doon the track
I efter them as fest's I could - it wis maist afa dark
I heard the clatterin o' their feet, as they flew throwe the park

At the Inverythan Crossin', there's a muckle big fite gate
Gin they wid stan' a meenit, the twa o' them I'd get
I edged up canny tae the horse, ower ma nose the sweat it ran
Fan suddenly they baith turned roon, an' back the wey they cam

A mannie wi' a grocers van, the doors baith open wide
He tried tae cape the prancin' steeds, bit they baith ran by the side
On they flew up tae the wid - by this time am near greetin'
I'd niver get them noo I thocht, ma heid an' hert were beatin'

The neiper fermer an' his loon, hid heard the clatterin' sheen
They cam tae help me rescue my wild and wayward team
At last we got them cornered, Lord I felt an afa feel
The broon meir hid lost her hilter, an' her leadin towe as weel
The baith o's took a horse the piece, an' roadit aff for hame
Nae leadin' towe nor hilter, jist a quid tuft o' their mane.

Banchory-Devenick School

The school at Banchory -Devenick
Wis growin aul an' deen
So the heid men they decided
Tae big a better een

This great decision it took place
A hunner eer ago
An' she's stannin' still as safe's a rock
Thro' sunshine gales an' snow

The masons an' the jiners
The chiels that howked the foon
Hid nae fancy tools tae help them
An' some wakit fae the toon

Jist imagine horse cairts caain steens
An' ithers caain san'
The hale jing bang sae busy
Men thocht their oors ower lang

I'll swear it jist took twa three weeks
Ere they feenished reef an' wall
Alas the lads that did the job
Their heids are lang since caul

The first heid maister he wis prood
Tae govern sic a squeel
W'i a topper o' a fine hoose
An' a sauncie wife as weel

Weel he wis heid a lang lang time
An fan he wore awa
The job wis advertised again
An' we got number twa

Angusfield No More

Angusfield his been Tawse
For mony a' eer
Bit it's feenished ma freens
Ony day noo I fear

She's a' tae come doon
Tae the verra last knob
An the warst bit aboot it
Will we a get a job?

Nae doot the toon planners
Think the yard oot o' place
Among big granite hooses
Mid the posh west end race

So they'll tak ower the yard
Lay athing oot fine
Sine big fancy hooses
Twenty – thoosan [pounds] a time

Will they full in the quarry
Tae gae them mair grun
Or big a hotel
For fowk tae hae fun

Ae thing I am certain
An am sure ye'll agree
'Twill be far ower fancy
For billies like me.

Hard Worker

I aften wish that I'd been born
Endowed wi' muckle brains
An' here's me hired by Robbie Horn
Tae redd his chockit drains

I'm maybe jist a darger cheil
Ma status unco low
A brainless loon fan at the squeel
At a'thing fylies slow

I could'na dee a balance sheet
I could'na draw a plan
Bit I'll tak' oot a level rut
Beit rock or clay or san'

Gie me a breem cowe in ma han'
Twa legs booe't like a v
Gin there be watter in yer lan'
Wee'l fin't - ma cowe an me

There's plenty fowk hiv got this gift
Aye fancier cheils nor me
Bit howk the hole - the water lift
Aye thats the rub ye see

Gae them a shoovel, pick or spaad
An say "Noo dig ma frien"
They'd hae blisters on their han's sae bad
An 'oor -- An they'd be deen

I'm nae a cheil that likes tae blaw
Nor haud doon idder fowk
I'm quite content tae work awa
I can dee naethin' else bit "howk".

Bairnies Wirds

I winner gin ye min aboot
The wirds yer bairnies used
An' you were jist the only een
That kent - an' were amused

Gin I wis fylies late some nicht
He'd get until a fizz
As seens I stepped thro' the door
He'd cry oot - "Far ye wiz?"

An' this een, his a gey sweet tooth
An' tho' he's scarcely twa
He pops his "Wheetie" in his moo
Sine "Docken" his Granda

An' files fan poorin' o' the tea
Tae the wife I'd say woah, woah
The little loon he seen catched on
Bit shoutit oot, "Mo, Mo"

Anither een a hungry loon
Kent supper, deener, tea
The morning wiz "Bleckwhich"
Futever it micht be.

Rev. Auld

Ye're awa fae Banchory-Devenick noo
Ye're wark on Deeside deen
Nae doot ye'll miss the pigeon's coo
The bonny leafy scene

I dinna wint tae gae advice
Bit tae Mr Auld I'd say
For ony sake noo ye're retired
Help Mrs Auld each day

Ye're nae near deen - ye're unco swack
Retired? Ye will enjoy'd
I hope yer gairdens big enough
Tae keep ye weel employed

We wish ye baith lang happiness
Good health good luck good fun
Ye'll be missed a bit by mony
An' an afa lot by some.

Teachin' a Hen Tae Sweem

A vandal wis unheard o'
Fan I wis jist a loon
Bit fegs we did some coorse things tae
Bit niver broke things doon

If coorse I wis a country bairn
An played guid lots ma leen
I min a bonny Sunday
I wid teach a hen tae sweem

I niver thocht I'd droon the hen
A ither beast cud sweem
Bit this big fat Reid Wyndotte
Widna try - fan left 'er leen

I set her in the watter
Oh it wisna verra deep
Bit fan iver I lat go her wings
She jist coupit in a heap

At last I got her sittin stracht
As regal as a swan
I gaed her a richt herty push
Sine efter her I ran

She started bobbin up an doon
An gaithered sic a speed
She slipped 'neath the Ury's waves
Till I jist cud see her heid

Noo I got in a panic
An efter her did fly
The last thing that I wintit
Wis the Reid Wyndotte tae die

She landed in a deep black pot
Far the watter aye wis swirlin'
By this time she wis upside doon
An roon an roon wis birlin'

I hid ma breeks rowed ower ma knees
The hen wis seein stars
So I loupit oot on tae the bank
An keist ma breeks an drawers

Intae the whirlpool eence again
I plunged up tae ma waist
Tae save the life o' one peer hen
I'd dee ma verra best

Weel Weel I got her by the leg
She weighed like half a ton
I splashed richt thro hungry waves
An oot on tae the grun

I tried at first tae shak' her dry
She'd left this world o' strife
If I hid kent fut I ken noo
She'd hae got the kiss o' life

Weel fut cud ony little loon
Dee wi a deid droont hen
I shoved her up ma jersey
An made ma wey for hame

I couldna lat ma mither ken
Ma heirt throbbed in ma breist
So I crawled intae the henhoose
An set her on a reist

I niver telt a livin sowel
The Wyndotte she wis dead
"I winner fut come ower that hen"
Wis a' ma mither said.

The Father's Lament

I've aft times got a sair rebuff
For leavin bits o' wool & fluff
That's fa'an aff ma drawers & sark
It's true it fairly causes wark

An' crumbs an a' at supper time
Wi' false teeth I am apt tae tine
It's nesty on a polished fleer
It fairly mak's the auld wife sweir

Ma bonnet tae I files throw doon
Ma jacket, coat, ye maun step roon
The wife - it nearly gaurs her swoon
Fan I come home

A tidy man -o' fut a blessin'
He'd niver keep his guid wife guessin'
Far is his weskit, jackit - bonnet
Bit guid that billie write a sonnet

Ye've jist tae thole the man ye've got
He's maybe jist a glaiket stot
Spake kindly, tell him - he's nae bad
An' mind, he is yer bairnies Dad.

Fan I Wear Awa'

Fan I wear awa',
I wint nae fuss ava
Nae lum hats nor best Sunday suits
Jist come as ye are
On a bike or a car
Aye an' leave on yer auld workin' boots

Nae sympathy cards
Jist a flo'er fae yer yards
A lily or pansy or rose
Hae a smile on yer face
I'll hae feenished my race
Lay me cannily doon tae repose

Read out at his funeral
Stanley Clark Duncan Robertson
(born 25th August 1911, died 9th February 1984)

Granda

Stanley Clark Duncan Robertson wis his actual name
Or Scardogan to mony a chiel
A' these poems will now maybe gie him due fame
He had talent and wis no feel

Noo Aul Jim wisna his name ava
Tho' my aul man ca'ad him this
To me he wis jist Granda
His presence we often miss

I remember the days he used to cry in by
Wi' his packet o' polo's in his jacket
He'd kittle us up, after his fly
An mither wid shout, weesht wi' that racket.

There's mony a lad canna min o' their Granda
They're somebody to teach you life's way
Weel I can - he stairted me gaun to the fitba
To watch the Dons doon at Pittodrie

Into the Beach End we wid sit an' cheer
Back in the 70's wi' a cauld widden bench to sit on
Five minutes to go, we wid leave afore the steer
We'd get hame and watch Final Score to see if we won

He likit a joke, an' pulled mony in his day
His family meant a' thing, he likit mest folks an' a'
Bit he wisnae feart to hae his say
He likit his peace, best wi' nae too much steer ava

As he enjoyed his retirement at hame
He pottered aboot in the greenhoose an' shed
His health wis faltering an' he wisna the same
Bit aye come up by an' visit, he said

You sometimes forget your relations, as ye grow old
Bit there's aye things tae remember, big eens an' sma'
Yer Granda is often someone to copy and mould
I hae my memories, naebody can tak' them awa'

There's mony a story that I could tell
A character he wis that's nae ony doot
His life story is recorded, we hope this book will sell
Nae worries if it disnae, we dinna gie a hoot

It's been a lang time to record and print
The effort has bin big, for me and my ma
A History o' his work, that's fit we wint
It's nae been easy to fit it in so sma'

Noo ma tribute is nearly done
Granda, I hope I hiv done ye proud
Yer wark altho' hard, his been lots o' fun
We've cried, we've reminisced, an' laughed oot loud

Tae ca this book, we hidna a clue
It wisna doric, it wisna scots tongue ava
We've hid a drink an' gie near got foo
The name, I'll leave that to my ma.

This tribute is recorded by Derek Cruickshank who along with his mother, Norma Cruickshank, daughter of the late Stanley Clark Duncan Robertson (Scardogan), have spent a couple of years deciphering all the scrap pieces of paper and hand written scribbles that was the work of this unknown talent. We pay tribute to the many people who are mentioned in this book and hope that they enjoy reminiscing times gone by as we have done in compiling this edition. It was often mentioned during his life that it would be good seeing his efforts published. Now, nearly twenty years after his death, we have accomplished this goal. So Dad and Granda we hope you are pleased to know that we've done it and that many people will get the opportunity to read your insight to life and understand your thoughts and feelings.